FANTASMA

A marca FSC® é a garantia de que a madeira utilizada na fabricação do papel deste livro provém de florestas de origem controlada e que foram gerenciadas de maneira ambientalmente correta, socialmente justa e economicamente viável.

LUIZ ALFREDO GARCIA-ROZA

FANTASMA

2ª reimpressão

Grafia atualizada segundo o Acordo Ortográfico da Língua Portuguesa de 1990, que entrou em vigor no Brasil em 2009.

Capa
Elisa v. Randow

Foto de capa
Renata Ursaia

Edição
Heloisa Jahn

Preparação
Ciça Caropreso

Revisão
Carmen T. S. Costa
Renata Del Nero

Dados Internacionais de Catalogação na Publicação (CIP)
(Câmara Brasileira do Livro, SP, Brasil)

Garcia-Roza, Luiz Alfredo
Fantasma / Luiz Alfredo Garcia-Roza — 1ª ed. — São Paulo : Companhia das Letras, 2012.

ISBN 978-85-359-2102-1

1. Ficção policial e de mistério (Literatura brasileira) I. Título.

12-04316 CDD-869.930872

Índice para catálogo sistemático:
1. Ficção policial : Literatura brasileira 869.930872

2012

Todos os direitos desta edição reservados à
EDITORA SCHWARCZ S.A.
Rua Bandeira Paulista, 702, cj. 32
04532-002 — São Paulo — SP
Telefone (11) 3707-3500
Fax (11) 3707-3501
www.companhiadasletras.com.br
www.blogdacompanhia.com.br

PARTE I

1

Espinosa desceu pela escada os três andares do prédio onde morava, carregando uma sacola com livros, remédios e objetos de uso pessoal. Atravessou o hall de entrada, abriu a porta da frente, mas antes mesmo de ultrapassar o jardinzinho e chegar à calçada deu meia-volta e entrou de novo no edifício. Depositou a sacola sobre uma mesa no vestíbulo e tirou o paletó. Protegido do olhar de estranhos, puxou a arma enfiada no cós da calça e colocou-a dentro da sacola. Em seguida distribuiu entre os bolsos da calça os pertences que estavam nos bolsos do paletó. Feito o novo arranjo, saiu levando na mão o paletó e a sacola. Era o melhor que podia fazer, já que precisava andar armado e usar terno numa cidade em que no verão, às oito da manhã, a temperatura já ultrapassava os trinta graus. Enquanto cruzava a praça do Bairro Peixoto, pequeno enclave no centro de Copacabana, a caminho da 12ª DP, pensava na pergunta que fizera a si mesmo na noite anterior e que lhe ocorrera outra vez no café da manhã: o que levaria um conceituado filósofo e lógico a elaborar uma teoria de objetos não existentes? Se os objetos não existiam, qual o sentido de construir uma teoria sobre eles?

No dia anterior Espinosa deixara sua mala com roupas e o notebook na recepção do hotel, sob os cuidados do gerente. Caso tivesse se esquecido de levar alguma coisa, bastaria voltar uma quadra e meia sobre seus passos — a distância entre o prédio onde morava e o hotel. Não estava se mudando, mas apenas deixando o apartamento por duas semanas, prazo previsto pela firma contratada para realizar obras na cozinha e nos banheiros. Nesse período, ele não poderia usar os banheiros nem a cozinha, o que significava uma interdição parcial da casa em termos objetivos, mas total em termos práticos. Morava naquele prédio desde os dez anos de idade e chegara o momento de substituir o velho encanamento por outro de material sintético, resistente à ferrugem.

A pergunta que não o abandonava e que tirara algumas horas de seu sono na noite anterior referia-se ao título de um livro que encontrara num sebo. Tratava-se de uma crítica do filósofo e lógico inglês Bertrand Russell ao livro *Sobre a teoria dos objetos inexistentes*, do também filósofo e lógico austríaco Alexius Meinong e cujo título considerara fascinante.

Não que o delegado Espinosa tivesse especial interesse pela filosofia ou pela lógica. Pelo menos não a ponto de comprar um livro que discutia questões além de sua compreensão. Comprara porque era um livro publicado em 1910 e custara uma ninharia.

Além do título provocador, uma introdução falava dos tais objetos não apenas como inexistentes (ou não existentes, como ele frisava), mas ainda por cima os dividia em três classes distintas. À primeira, pertencem os objetos cuja não-existência é um fato empírico, caso do centauro, por exemplo. À segunda classe, os objetos cuja existência implica uma contradição, e o exemplo era o círculo quadrado. À terceira, pertencem os objetos que subsistem mas não existem em si mesmos: os números, as relações e as figuras geométricas. Estes últimos, dizia o filósofo austríaco, estão para além do ser e do não-ser. Assim, a redondeza do quadrado redondo, por exemplo, não é afetada pela sua não-existência.

O homem era um louco, pensou Espinosa. "A redondeza do quadrado redondo não é afetada pela sua não-existência"! A frase o encantava, embora fosse uma frase de louco. Caminhava em direção à delegacia, ainda procurando a lógica dessas ideias. Dizer que a redondeza do quadrado redondo não é afetada por sua não-existência é o mesmo que dizer que a fama de Sherlock Holmes não é afetada por sua não-existência... E não é mesmo, concluiu, perplexo. E nesse instante Espinosa decidiu que dedicaria um pouco mais de tempo à estranha teoria dos ainda mais estranhos objetos não existentes.

Ainda não acabara de atravessar a praça, quando o celular tocou.

— Delegado Espinosa?

— Bom dia, Welber — disse, reconhecendo a voz de seu colaborador.

— Bom dia, delegado. Desculpe a hora.

— Nenhum problema, já estou na rua. O que houve?

— O plantão recebeu um comunicado de que há um morto debaixo da marquise de um prédio na avenida Copacabana.

— E?

— Foi esfaqueado. O inspetor Hélio, que estava de plantão, me ligou. E estou aqui no local esperando a perícia.

— Por que você?

— Porque o cadáver foi saqueado. Levaram o paletó, o sapato e tudo o que ele tinha nos bolsos da calça. Só deixaram mesmo a calça e a camisa, ambas sujas de sangue.

— Mas por que chamaram você especificamente?

— Porque o PM que fez a ocorrência disse que havia um número escrito a caneta na palma da mão do morto. O inspetor Hélio, que atendeu o PM, perguntou qual era o número. Os seis primeiros algarismos eram do seu celular, delegado. O inspetor Hélio se deu conta disso e me ligou, porque sabia que eu moro a uma quadra do local da ocorrência.

— E os outros dois algarismos? São oito.

— Só tinha seis. Pode ser só uma coincidência, como pode não ser. Eu disse ao inspetor Hélio para não comentar o fato com ninguém e vim aqui pro local da ocorrência.

— Onde está o corpo?

— A duas quadras da delegacia, dobrando à esquerda na avenida Copacabana.

— Estou indo para aí.

Espinosa passou pela delegacia, deixou a sacola e o paletó no balcão de atendimento, colocou a arma no cós da calça, por baixo da camisa, e seguiu pela rua Hilário de Gouveia. Atravessou a Barata Ribeiro, dobrou à esquerda na avenida Copacabana e imediatamente avistou, no meio da quadra seguinte, a aglomeração na calçada. Às oito da manhã o movimento de veículos e pedestres na principal avenida do bairro costumava ser intenso. O máximo que os PMS haviam conseguido fazer para preservar a cena do crime fora isolar o trecho da calçada marcado por pequenas manchas de sangue do meio-fio até a fachada do prédio. O rastro sugeria que a vítima fora esfaqueada perto do meio-fio e arrastada para baixo da marquise. O corpo estava coberto por um plástico preto que deixava de fora os pés sem meias, que atraíam a atenção dos passantes.

O inspetor Welber viu o delegado se aproximando e foi ao seu encontro.

— Conseguiu saber alguma coisa? — perguntou Espinosa.

— Muito pouco. O crime deve ter acontecido de madrugada. A vítima foi atacada pela frente com uma única estocada na altura do fígado e depois arrastada até a parede do prédio. É provável que os autores do saque tenham sido os sem-teto. Não há nenhuma testemunha, apenas uma mancha de sangue perto do meio-fio e um rastro fraco em direção ao prédio.

— Nenhuma testemunha?

— Parece que não. O encarregado da limpeza da calçada e os vigias das lojas disseram que todos os dias quando eles chegam aqui encontram alguns sem-teto dormindo embaixo da marquise, mas que hoje havia apenas uma mulher já conhecida na área e outra pessoa que eles na hora pensaram que fosse um morador de rua. Quando eles se aproximaram e viram as marcas de sangue no chão, foram olhar o homem de perto, e aí chamaram a polícia.

Os dois PMS que procuravam manter os curiosos afastados reconheceram o delegado Espinosa e levantaram a fita amarela para ele passar. O plástico negro brilhante que cobria quase todo o cadáver contrastava com os pés muito brancos. Espinosa se agachou junto ao corpo e levantou o plástico, o que fez aumentar a concentração de pessoas em volta. Demorou-se observando o rosto do morto de diferentes ângulos, examinou os números anotados na mão esquerda, verificou se havia ferimentos nos braços e nas mãos; tentou ver a etiqueta da camisa e da calça, mas percebeu que para isso teria que mexer muito no corpo. O morto tinha a pele clara de quem não apanha sol, parecia estrangeiro, cuidava bem do corpo e da aparência, a roupa era de boa qualidade, o cabelo estava bem cortado, as unhas aparadas e limpas e os pés eram os de uma pessoa que não frequenta praia nem anda descalça. De uma coisa Espinosa tinha certeza: nunca vira aquele homem.

— Você trouxe a câmera? — perguntou a Welber.

— Não, mas posso usar a do celular. Não é uma câmera de qualidade, mas...

— Você acha que dá pra tirar uma foto boa do rosto do morto? Os olhos estão quase inteiramente abertos, veja se consegue levantar um pouco mais as pálpebras para termos uma imagem do rosto com os olhos abertos.

— O senhor quer que eu abra os olhos do morto?

Depois de muita hesitação, Welber tocou no cadáver e levantou suas pálpebras. Em seguida limpou muitas vezes a ponta dos dedos na calça, como se aquele tipo de morte fosse contagioso.

— E agora? — perguntou Espinosa, apontando para o celular.

— Agora podemos imprimir umas cópias em papel no computador da delegacia.

— Ótimo. Faça isso.

* * *

Nenhum dos sem-teto que haviam passado a noite sob a marquise estava à vista. Segundo o vigia da agência bancária, todos tinham sumido antes do dia clarear.

— Todos com exceção da Princesa — acrescentou Welber.

— Que Princesa? — perguntou Espinosa.

— Aquela ali — disse Welber, apontando para uma mulher gorda sentada dois prédios adiante sob a marquise, atrás de um cercado feito com restos de caixas de papelão. — Se o senhor levar um café e um pão com manteiga para ela, ela vai ficar muito sua amiga. O dono do botequim ao lado é que sabe como a Princesa gosta de café. Todos a conhecem por aqui.

Minutos depois, Espinosa se aproximava da mulher levando um saco de papel com um pão com manteiga e um copo de café, enquanto ela escondia apressadamente o que o delegado achou ser um batom.

— Você demorou para vir — disse ela com um sorriso simpático.

— E para compensar minha demora, eu trouxe seu café da manhã.

— Obrigada. Eu te reconheci quando você chegou... Todo mundo aqui sabe quem é o delegado Espinosa.

— Todo mundo quem? — perguntou Espinosa.

— Os moradores de rua.

— Não sabia que eu era conhecido no meio.

— Eu conheço você e todos que vivem por aqui também te conhecem — disse ela, olhando em volta. — E eu nem tenho uma cadeira pra oferecer.

— Não se preocupe, posso me sentar ao seu lado no degrau.

A jovem conhecida por Princesa puxou um pedaço

de papelão de debaixo de uma de suas sacolas e o esticou no degrau.

Sentada com as costas apoiadas na parede do prédio e as pernas esticadas sobre a calçada, a mulher parecia uma boneca de pano e porcelana enorme e gorda, de dimensões inéditas. Estava com um vestido de florzinhas que deixava suas pernas e braços de fora, expondo a pele alva encardida e com poeira acumulada nas dobras da gordura; o rosto redondo e bonito era o de uma mulher de menos de trinta anos, apesar dos dentes maltratados e do cabelo sujo e embaraçado. Ela passara batom nos lábios para conversar com o delegado e esperou Espinosa sentar-se a seu lado para só então provar o café.

— Então, Princesa, noite agitada?

— Não sei, delegado, dormi o tempo todo, só acordei de manhã.

— Quer dizer que não viu nada.

— Se você está se referindo àquele homem deitado ali na calçada, ouvi dizer que ele levou uma facada. É o que eu sei. Tenho sono pesado.

— E os seus amigos sem-teto, onde eles estavam?

— Não são meus amigos, nem sei o nome deles.

— Quantos dormem aqui?

— Dois, às vezes três. Não são sempre os mesmos.

— E ontem, quantos eram?

— Até eu dormir acho que eram dois, mas não tenho certeza.

— Você já viu isso acontecer por aqui outras vezes?

— Já aconteceu perto de onde eu estava, mas nunca cheguei a ver, eu estava sempre dormindo — disse ela com o mesmo sorriso simpático.

— Quer dizer que você não viu nem o homem ser morto nem quando pegaram o sapato dele, meias, relógio, carteira e tudo o que ele tinha no bolso? — voltou a perguntar Espinosa, olhando na direção do cadáver.

— Se foi mesmo isso que aconteceu, não chegou a me acordar. E mesmo que eu tivesse visto, que diferença ia fazer, se ele já estava morto?

— E como você sabe que ele já estava morto?
— Eu só fiquei sabendo que tinha um homem morto debaixo da marquise quando um PM mal-educado me acordou de manhã me cutucando com a bota.

Espinosa soube mais tarde que Princesa não ocupava o espaço público da mesma forma que seus companheiros sem-teto, a começar pelo fato de que os outros chegavam sempre no final da tarde, início da noite, para se instalar sob a marquise, enquanto ela ocupava o mesmo lugar o tempo todo, dia e noite, como uma moradia permanente. Tinha escolhido um local bem na junção entre dois prédios, para evitar que os vigias e porteiros reclamassem. Ali, junto à parede, acomodava as sacolas com suas roupas, que além de demarcarem seu território serviam como almofada. Escorada pelas sacolas e placas de papelão, Princesa permanecia sentada com um meio sorriso nos lábios, cumprimentando gentilmente os passantes. De vez em quando perguntava a um deles se podia lhe trazer um café ou um refrigerante. Nunca pedia dinheiro. Contava como certo que os garçons dos bares e restaurantes vizinhos lhe trariam no fim do dia uma embalagem de alumínio com sobras da cozinha. Não raro uma moradora de um dos prédios próximos também lhe oferecia alguma sobra de comida. Ela agradecia a todos de forma tão doce e cativante que quem a presenteava ia embora sentindo-se presenteado. Princesa evitava a todo custo mudar de área. Quando isso acontecia, em geral por pressão dos seguranças a mando dos síndicos dos prédios das redondezas, não ia muito longe, devido à dificuldade de se locomover com todas as suas sacolas e a grande quantidade de caixas de papelão desmontadas, além de seus quase duzentos quilos de peso. Enquanto seus colegas sem-teto variavam de parada, evitando permanecer muito tempo no mesmo lugar, Princesa era uma espécie de nômade sedentária. Mantinha-se no mesmo ponto por semanas ou meses, fazendo mudanças estratégicas de poucos metros apenas para satisfazer os opositores mais próximos. Os agentes sociais da prefeitura e da guarda municipal raramente a incomodavam, dada a dificuldade de transportá-la para alguma instituição capaz de lhe dar abrigo e alimento, ajuda que, aliás, ela própria recusava.

Espinosa acreditava que Princesa havia presenciado senão a morte da vítima pelo menos o saque do corpo. Agora que ele e a mulher haviam se conhecido e conversado, julgava que era apenas uma questão de tempo e de mais algumas visitas para ela lhe fornecer as informações que o ajudariam a esclarecer o enigma do morto e do número escrito na palma de sua mão. Espinosa deu o encontro por encerrado e se despediu, prometendo voltar.

Quando chegou à delegacia, os inspetores Welber e Ramiro já tinham as cópias da foto do morto. Welber mostrou-as ao delegado.

— Perfeito. Parece vivo — disse Espinosa.

— Fotografei também a mão com o número escrito.

Welber deixara duas fotos na mesa do delegado, a do morto e a da mão.

Espinosa leu os recados e avisos que encontrou em sua mesa e os anexou aos relatórios que aguardavam sua análise. Fechou a porta do gabinete e acomodou-se na cadeira giratória, saboreando por instantes o vento frio do ar-condicionado. Pegou as fotos e olhou demoradamente para a vítima. Realmente, nunca vira aquele rosto. Quanto aos algarismos, nada garantia que fossem um número incompleto de telefone; também podiam ser uma senha bancária, por exemplo.

As manhãs de segunda-feira na delegacia sempre exigiam uma atenção maior por causa do movimento do fim de semana, tarefa que tomou o que restava da manhã de Espinosa.

Antes de ir almoçar, Welber passou pelo gabinete do delegado.

— O senhor quer que eu veja quando o IML vai fazer a autópsia? — perguntou.

— Quero. Veja também quando eles poderão nos dizer, mesmo por telefone, o que a vítima comeu naquela noite; se bebeu, se usou drogas. Veja também se eles podem nos enviar as digitais e as etiquetas da calça e da camisa.

No meio da tarde, Espinosa recebeu a visita do delegado Nestor e do inspetor Bastos, da Delegacia de Homicídios. Os dois fizeram questão de frisar que não se tratava de investigação preliminar nem de depoimento, mas de conversa entre colegas, já que alguém lhes dissera que o número do celular do delegado Espinosa estava escrito na mão do morto e que aquela era a informação de apoio para iniciar a investigação.

— Então estamos no mesmo ponto — disse Espinosa. — A única vantagem que tenho sobre os colegas da Homicídios é que eu sabia o número do meu celular e vocês não. Além disso, o número escrito na mão do morto só tinha seis algarismos, enquanto o número do meu celular, como todos os outros, tem oito. Creio que nós todos temos o mesmo nível de informação. E para que não reste dúvida quanto a esse fato, acrescento mais um detalhe: eu nunca vi esse homem antes, não tenho a menor ideia de quem ele seja. Mas me coloco com prazer à disposição dos colegas para as informações que se fizerem necessárias no decorrer das investigações.

Os dois policiais se entreolharam e se levantaram. Espinosa também se levantou. Apertaram-se as mãos e os homens da Homicídios foram embora.

Encerrado o expediente, Espinosa resistiu à tentação de passar pelo seu prédio para ver se as obras já haviam começado e seguiu pela Décio Vilares em direção ao Hotel Santa Clara. Ocupava o mesmo quarto do segundo andar, com varanda para a rua, que ocupara em outras ocasiões. Verificou se tudo estava em ordem, instalou o notebook sobre a pequena secretária junto à janela, ligou-o e abriu uma nova pasta com o nome provisório de "Estrangeiro". Começou a escrever: "Vítima: homem, caucasiano, 40 anos aprox., pele clara, cabelos castanhos, olhos castanhos, morto com uma facada no fígado na madrugada do dia...".

O celular tocou. Irene.

— Olá, querido, como está se sentindo na sua casa provisória?

— Confortável... dentro do possível.

— O hotel tem restaurante?

— Não, mas tem uma copa.

— Isso significa que você não jantou.

— Jantei um sanduíche muito bom.

— E almoçou?

— Almocei. Sanduíche. Também muito bom.

— Você não acha que é um regime monótono?

— Já me habituei a ele. De vez em quando almoço na Trattoria ou no restaurante em frente à delegacia, você sabe.

— Tem certeza de que não quer ficar aqui no meu apartamento durante a reforma?

— Seria muito mais prazeroso, é claro, mas aqui no hotel estou a dois passos da delegacia e do meu apartamento. É prático. Posso passar o fim de semana aí com você.

— Ótimo. Combinado.

Irene era dez anos mais nova que ele; os dois estavam juntos havia dez anos. Espinosa tinha certeza de que se gostavam profundamente, assim como tinha certeza da atração física que sentiam um pelo outro. Eles haviam criado espaços de vida distintos e bem protegidos. Moravam cada um no seu apartamento e se encontravam e passavam os fins de semana ora no apartamento dela, em Ipanema, ora no dele, em Copacabana. Não havia cobranças nem ciúmes. Eram independentes e ligados por laços duradouros, embora não muito ortodoxos. Quando estavam juntos, era bom. Uma única vez haviam falado em casamento. Concordaram que preferiam não se casar e que não pretendiam ter filhos. Ele já tinha um filho adulto e não pretendia ter outro; Irene nunca tivera filhos e estava certa de que nunca teria.

Irene não dissera a Espinosa que precisaria ir a São Paulo no dia seguinte. Esperava voltar na sexta-feira, assim poderiam passar pelo menos o sábado e o domingo juntos. Antes de sair de casa, na manhã seguinte, deixou um recado no celular dele.

As primeiras informações da autópsia acusaram a presença de um leve resíduo de benzodiazepina, um relaxante muscular ingerido por via oral. Não havia indício de uso continuado de drogas. Pequena lesão frontal-temporal. Ausência de cicatrizes cirúrgicas ou tatuagens. A marca na fronte assinalada pelo médico-legista podia ser decorrente da queda após a facada. O laudo completo ainda dependia do resultado dos exames laboratoriais. As etiquetas da calça, da cueca e da camisa eram da marca americana *Banana Republic* e poderiam sugerir um cidadão ou um morador dos Estados Unidos. Em um dos bolsos da calça foi encontrado um tíquete eletrônico de bagagem colado na metade de cima do recibo da passagem, onde constava a sigla dos aeroportos Guarulhos e Galeão, o número do voo e o horário de partida e de chegada. Faltava apenas o nome do passageiro, que estava na parte rasgada do bilhete. O tíquete aéreo era o dado mais importante do resumo transcrito por Welber.

Era quase meio-dia quando Espinosa notou o aviso de mensagem em seu celular. Irene dizia que acabara de embarcar para São Paulo e que ligaria mais tarde. A empresa em que Irene trabalhava tinha escritórios no Rio e em São Paulo e ela alternava suas atividades profissionais entre as duas cidades. Antes de eles se conhecerem, essa dupla geografia fora palco de uma vida sexual igualmente dupla de Irene. Não havia promiscuidade — contara ela anos mais tarde —, o que havia era uma atividade sexual com parceiros masculinos e femininos, indiferentemente.

Espinosa conheceu Irene quando ela acompanhava uma amiga que fora prestar depoimento na 12ª DP sobre um acidente seguido de morte. Ambas, Irene e a amiga depoente, eram muito bonitas e parecidas. Durante o depoimento, que durara mais de uma hora, o olhar de Irene ia da amiga para Espinosa e de volta para a amiga. Não era um olhar de interesse pelo que cada um deles dizia, mas de avaliação, como que sopesando um e outro. Terminado o exame, claramente notado por Espinosa, ele tivera certeza de duas coisas: de que passara no teste e de que a amiga era amante de Irene. Tudo transcorrera no intervalo de uma hora e meia de um depoimento bastante detalhado. Dez anos depois, ele ainda se espantava de como atravessara aquela experiência e lidara sem um grande choque com a percepção clara do conteúdo das relações em jogo.

Depois desse primeiro encontro na delegacia, os dois começaram a se encontrar, e não demorou para Espinosa contar a Irene o que percebera no decorrer do depoimento. Irene ouviu Espinosa sem nenhum assombro ou pudor, e confirmou que as impressões dele estavam corretas. Conversaram sobre o assunto. Irene declarou que aquela não era a escolha sexual de sua vida, mas uma escolha que também acontecia. E nunca mais tocaram no assunto.

Irene era sexualmente exuberante e dona de um afeto contínuo e intenso, mas sua vida interior era tão protegida quanto a de Espinosa. Mesmo depois de dez anos, eles podiam quando muito tecer conjecturas imprecisas sobre o que se passava na interioridade do outro, ou mesmo na exterioridade, tendo em vista que não moravam juntos nem se viam ou falavam cotidianamente. Essa grande região de sombra que escapava ao olhar e à escuta dos dois permanecia inexpugnável. Espinosa não perguntava o que Irene fazia em seus momentos de folga ou em suas noites em São

Paulo, assim como ela não indagava sobre as atividades dele nas muitas noites que passava sozinho no Rio.

No decorrer daqueles dez anos, Espinosa tivera contato com várias amigas de Irene. Algumas ela conhecera em São Paulo, outras nos Estados Unidos ou na Europa. Quase todas bonitas e atraentes. Esse era um tema recorrente das reflexões de Espinosa. Nunca conversara com ninguém sobre o assunto. Na opinião dele, não era o melhor estilo de relacionamento amoroso, embora viesse dando certo havia uma década; tampouco sabia que estilo seria melhor do que aquele ou mesmo se era possível haver estilos preestabelecidos de relação amorosa. Tendia a considerar que cada relacionamento constituía seu próprio estilo, singular e intransferível.

Resolveu almoçar na Trattoria, o que o obrigava a passar pelos domínios da Princesa: tentaria continuar a conversa da véspera. Procurou-a antes do almoço. Assim que viu Espinosa se aproximar, Princesa buscou o batom, que passou nos lábios como se aquele fosse um gesto repetido inúmeras vezes no dia, mesmo sem a presença do delegado.

— Bom dia, Princesa.

— Bom dia, delegado — disse ela, estendendo um pedaço de papelão para ele se sentar, como fizera um dia antes.

— Posso lhe oferecer alguma coisa? — perguntou Espinosa, registrando a formalidade do uso de *delegado.*

— Não, obrigada. Quem sabe daqui a pouco. Ainda atrás do assassino, delegado?

— Do assassino e dos ladrões.

— Ladrões?

— Os que saquearam o morto.

— Mas se ele já estava morto...

— É roubo do mesmo jeito, com o agravante da vítima estar morta.

— Mas eles não mataram o homem.

— Como você sabe? Você me disse que estava dormindo e que não tinha visto nada.

— Mas você também estava dormindo, não viu nada e está achando que foram os meus colegas que pegaram as coisas do morto.

— Eu sou pago para desconfiar do que as pessoas dizem.

— Até do que eu digo?

— Até do que você diz.

— Então por que fica fazendo perguntas?

— Para ver se posso confiar em você.

— E pode?

— Ainda não.

— Falta o quê?

— Confiança.

— E por que você não confia em mim?

— Porque sou pago pra isso.

— Você é pago para desconfiar das pessoas? Que coisa mais feia.

— Você também não confia em mim.

— Mas não sou paga pra isso. Sou uma mulher sozinha... na rua dia e noite... não posso confiar nas pessoas.

— Então nós dois, por motivos diferentes, desconfiamos das pessoas. Não somos tão diferentes.

— Ah, somos! Você não é morador de rua, é bem tratado, tem casa, família, frequentou escola, fala certo...

— Algo me diz que você também tem ou teve família, foi bem tratada e frequentou escola. Você fala corretamente.

— Acho que vou aceitar seu oferecimento... Talvez um café e um pão com manteiga — disse Princesa.

Espinosa foi até o mesmo bar onde na véspera havia comprado o lanche dela e voltou minutos depois com mais um café e um pão com manteiga.

Princesa comia devagar e com delicadeza enquanto Espinosa, sentado a seu lado no degrau da calçada, alheio aos olhares dos passantes, esperava pacientemente ela terminar o lanche. Poucos na rua permaneciam indiferentes à cena: Princesa esparramada junto à parede do prédio, as pernas esticadas para a frente, cercada de sacolas e placas de papelão, e Espinosa, de terno e gravata, sentado a seu lado. Formavam uma dupla capaz de chamar a atenção até numa calçada de Copacabana.

— Seus colegas de rua ficaram assustados com o que aconteceu ontem? — perguntou Espinosa quando ela terminou o lanche.

— Eles se assustam à toa — disse Princesa. — Gente pobre dormindo na rua vira um alvo para pessoas ruins. De madrugada atiram na gente com armas de ar comprimido, não são espingardas de chumbinho, mas armas que machucam de verdade; isso quando não usam revólver ou jogam álcool e ateiam fogo. Às vezes, quatro ou cinco descem de um carro com porrete na mão e quebram os ossos de quem está dormindo. Quem tem casa na Baixada está desistindo de dormir aqui no Rio e preferindo voltar para dormir em casa. O problema é que se pagam a passagem todo dia ficam sem dinheiro para comer.

— E você, por que continua aqui, se arriscando a todas essas ameaças?

— Porque para mim é muito difícil me movimentar, pegar condução. Além disso, seria gastar mais dinheiro. Prefiro ficar aqui. E, também, para onde eu iria?

— Você não tem medo?

— Tenho. Mas quem não tem?

Espinosa ficou pensando na fragilidade de Princesa e em sua total incapacidade de se defender dos predadores noturnos. Se a agredissem, ela não poderia nem tentar fugir, sair correndo. Demorava para se levantar do chão, sua locomoção era vagarosa, seus gestos também. O delegado se despediu e prometeu voltar no dia seguinte para conversarem mais um pouco.

Espinosa desistiu de almoçar na Trattoria e resolveu comer um sanduíche no Pavão Azul, em frente à delegacia. Foi direto para lá. Queria se sentar para refletir um pouco sobre a conversa de minutos antes.

Enquanto comia, vinha-lhe repetidamente à lembrança duas frases de Princesa que soavam como um recado: "Eles se assustam à toa...", "Gente pobre dormindo na rua vira um alvo para pessoas ruins...". Se os sem-teto se assustavam facilmente, claro que teriam se assustado com um homem sendo morto a poucos metros de onde eles dormiam.

Estava fazendo anotações em seu caderninho, quando Welber chegou e perguntou se podia se sentar com ele. Precisava lhe contar uma coisa.

— Delegado, eu estava indo para a delegacia, quando vi o senhor dobrar a esquina. Eu vinha pelo outro lado da rua e acelerei o passo para encontrá-lo. Só que o sinal fechou para mim e precisei parar. Aí vi que logo atrás do senhor ia um homem que eu tinha visto ontem de manhã no meio dos curiosos em volta do morto. Ele com toda a certeza me viu ontem de manhã, mas não me viu agora, porque eu estava na outra calçada e ele estava muito interessado no senhor para prestar atenção em qualquer outra coisa. Agora, neste instante, ele está aqui dentro, de pé no balcão tomando um café, de costas para o senhor.

Espinosa nem precisou virar o rosto, pois tinha o homem em seu campo de visão.

— O que você acha? — perguntou Espinosa.

— Que ele passou por três ou quatro botequins onde poderia ter tomado o mesmo café pelo mesmo preço.

— Se ele me seguiu para ver onde eu trabalho, é porque não faz parte do grupo dos sem-teto da Princesa. Ela me disse que todos lá me conhecem e sabem que eu sou o delegado titular da 12ª DP.

— Talvez ele não seja um sem-teto — sugeriu Welber.

— Vai ver só está sondando o ambiente. Ele já nos conhece de ontem, mas numa das mesas aí da calçada tem dois inspetores nossos, novatos. Vá até lá e dê instruções para um deles seguir o homem do balcão e ver aonde ele vai. Diga para o inspetor falar comigo na volta.

Espinosa continuou sentado, comendo lentamente seu sanduíche e tomando uma cerveja, enquanto o homem, mais lentamente ainda, continuou tomando seu café. Quando Espinosa pediu a conta, o homem na hora pediu a sua e os dois saíram praticamente ao mesmo tempo. Espinosa atravessou a rua sem se virar.

O jovem policial encarregado de seguir o estranho voltou uma hora depois.

— Delegado, desculpe, mas o homem escapou. Assim que saímos daqui, ele dobrou à direita na avenida Copacabana e entrou no Shopping Center na esquina da Siqueira Campos. Como ele estava quase meia quadra na minha frente, não deu para eu ver se ele tinha descido para as lojas do subsolo ou ido para os andares de cima. Com isso ele ganhou mais dianteira. O shopping é muito grande, tem vários andares. Percorri cada andar, olhei loja por loja, mas ele me enganou.

— Você se chama Paulo, não é?

— É, delegado. Paulo Santos Assunção.

— Da próxima vez nós pegamos ele, inspetor Paulo. De qualquer maneira, você fez o que foi possível.

Welber enviara a foto da vítima por e-mail à Polícia Federal do aeroporto de Guarulhos, na expectativa de algum agente se lembrar de um passageiro proveniente do exterior que na segunda-feira tivesse feito conexão para o Rio no voo das 23h45 com destino ao aeroporto do Galeão. O mesmo foi feito com a equipe de terra da companhia do voo Guarulhos-Galeão, investigação que acabou se revelando bem-sucedida. O nome do passageiro era A. Domínguez. Para Espinosa, tudo se encaixava. Se ele fizera a conexão Guarulhos-Galeão, é porque chegara num voo internacional em São Paulo e fizera a conexão para o Rio num voo doméstico Guarulhos-Galeão. Admitindo um pequeno atraso na conexão em São Paulo e outra pequena demora na liberação da bagagem no Galeão, ele provavelmente havia chegado de táxi a Copacabana por volta das duas da manhã, hora provável do crime. O crime fora cometido na segunda-feira e até aquele momento, quinta-feira, ninguém reclamara o corpo.

Com a foto e o nome da vítima, Ramiro foi encarregado de percorrer os consulados e o controle de passaportes da Polícia Federal, enquanto Welber se ocupava dos hotéis da orla.

Na manhã seguinte, Espinosa recebeu a notícia de que Princesa e seus colegas de marquise haviam desaparecido das ruas. Ele acreditava que os sem-teto agiam como as formigas: uma vez ameaçados ou atacados, dispersavam-se e mudavam de terreno. Só que comparar Princesa a uma formiga era impossível. O delegado achava que ela vivia na rua, sob as marquises, exposta a tudo e a todos, porque aquele era o espaço capaz de contê-la. Em troca desse abrigo sem limites, ela abria mão da segurança, de conforto e das condições de higiene essenciais a qualquer pessoa. Princesa não cabia numa cama, e se alguma fosse suficientemente grande e forte para suportá-la, uma vez deitada ela não conseguiria se levantar sem a ajuda de outra pessoa, por isso dormia sentada, escorada em suas sacolas. Assim, se Princesa tivesse se mudado de área, seria apenas para outra calçada, onde ela sabia que seria facilmente encontrada. A menos que tivesse se mudado para bem longe, para outra cidade ou mesmo outro estado. Espinosa sentiu o desaparecimento de Princesa como uma espécie de traição, embora em nenhum momento tivesse lhe pedido que não saísse dali, mesmo porque não considerava isso viável.

Espinosa voltou caminhando lentamente para o hotel. Irene não voltara a ligar. Bem, na verdade ele não consultara o celular uma única vez durante o dia. Meteu a mão no bolso do paletó, que passara a tarde pendurado no cabide, e se deu conta de que o aparelho não poderia mesmo ter tocado, pois estava desligado. Ligou-o e verificou as chamadas não atendidas. Havia três de Irene, além de um torpedo dela avisando que só retornaria no sábado. A volta para o hotel às oito da noite de uma sexta-feira carregando um pacotinho com um quibe e uma esfirra para o jantar tinha um toque melancólico.

Escolheu um dos livros que trouxera de casa e automaticamente olhou em torno à procura de sua cadeira de balanço, mas teve de se contentar com uma poltrona. Não conseguiu se concentrar na leitura. Seu pensamento passava de Irene para Princesa, de Princesa para seu perseguidor misterioso, deste para o estrangeiro assassinado, e em seguida o fluxo de pensamentos recomeçava. Dormiu sentado e de luz acesa, o livro emborcado no colo. Não chegou a comer o quibe e a esfirra.

Acordou confuso em relação à hora e ao lugar onde estava. Lembrou-se do pacotinho com o jantar. Pegou uma cerveja no frigobar e um quibe. Pensava em Irene e em Princesa, duas pessoas ausentes. Às três e quinze da manhã, passou da poltrona para a cama. Dormiu até o amanhecer.

2

Eram quase duas da manhã quando Isaías entrou pela contramão na avenida Rio Branco, no centro da cidade, puxando o burro sem rabo com Princesa acomodada entre sacolas de todos os tamanhos mais as tralhas que acumulara durante sua estada em Copacabana. Em torno da carroça e no rastro de Isaías, vinham seis cachorros, garantia de que ninguém tentaria nada contra o carroceiro e sua preciosa carga.

O desembarque de Princesa foi menos dificultoso do que Isaías imaginara quando encostou a carroça no meio-fio defronte ao ponto escolhido por ela, um vão de parede entre uma boate e um restaurante. Ao lado da entrada de cada estabelecimento, havia um grande vaso com folhagens, portanto Princesa ficaria meio oculta, protegida tanto dos pisões como dos olhares dos passantes. Antes de ir para Copacabana ela já se instalara nesse espaço por algum tempo. O porteiro da boate a conhecia e sabia que ela não perturbava ninguém pedindo dinheiro ou comida e que tampouco fazia barulho ou se comportava de modo inconveniente, limitando-se a ficar sentada ali, a poucos metros da porta da boate, como uma versão feminina do Buda. Isaías arrumou as sacolas junto à parede que Princesa lhe indicou e ao lado empilhou as folhas de papelão que ela usava para proteger seu espaço.

O trajeto de Copacabana ao Centro demorara mais de duas horas, contando com as paradas para descanso. Nenhum dos dois tinha relógio e Isaías se atrapalhava com os painéis luminosos das esquinas que indicavam hora e temperatura. Ele não conseguia saber direito quando o painel marcava a hora e quando marcava a temperatura, e Princesa nem prestava atenção nisso. Mas não era com a hora que Isaías estava preocupado, e sim com sua passageira. Tinha sido difícil acomodar Princesa na carroça. Não era uma carroça de quatro rodas como as encontradas nas cidades do interior. Lembrava mais um robusto estrado de cama sobre duas rodas. Havia uma grade numa das extremidades que lembrava uma cabeceira, e dois cabos de madeira na parte da frente, pelos quais o condutor puxava o veículo. O que Isaías temera durante a viagem era que Princesa, com a trepidação, caísse na rua. Mas nada de desagradável havia acontecido.

Isaías e Princesa se conheciam havia mais de um ano. Antes de ele conseguir trabalho como vigia num prédio inacabado a poucas quadras de onde ela ficava, Princesa costumava reservar lugar para ele debaixo da marquise. Apesar de terem passado muitas noites juntos, nunca houve intimidade física entre eles. Mesmo as conversas, quando aconteciam, eram econômicas, pois Isaías nem sempre conseguia acompanhar os temas propostos por Princesa.

— Não sei como ia ser sem sua ajuda, Isaías.

— É só ter fé, Princesa.

— Fé em quê, homem?

— Fé nas coisas. Assim: se você tem fé na carroça, a carroça acontece.

— Mas eu nem sabia que você tinha uma carroça.

— E não tenho. A carroça não é minha, é do Jorge Carroça. Só que eu tinha fé que ele ia emprestar a carroça pra nós. E ele emprestou. É que eu tive fé.

— Acho que ele emprestou porque confia em você — disse Princesa.

— Então! Ele tem fé em mim, é a mesma coisa.

— Mas foi você que veio puxando a carroça até aqui... e comigo em cima.

— Não foi nada, Princesa. Agora preciso voltar, porque o Jorge vai usar a carroça logo de manhã.

Isaías esperou Princesa se acomodar, passou os olhos pela vizinhança para ver se estava tudo bem, manobrou e seguiu em direção a Copacabana, acompanhado pelos cachorros.

O trabalho de Isaías era impedir que a construção abandonada da qual ele tomava conta fosse invadida por mendigos, vagabundos e vendedores ambulantes à procura de um lugar como depósito de mercadoria roubada e como ponto de drogados, traficantes... Não era um emprego regular. Não havia contrato nem benefícios trabalhistas. Uma vez por semana um homem, sempre o mesmo, aparecia para verificar se estava tudo em ordem e pagar seu salário. Sempre aos sábados. Ele sabia o nome do homem e o homem nunca tinha falhado ou atrasado o pagamento. Isaías não usava uniforme nem portava arma. Era forte e alto, entre trinta e cinco e quarenta e cinco anos. Vestia invariavelmente bermuda, camiseta e sandálias Havaianas, qualquer que fosse o tempo e a estação do ano. Os cachorros eram sua arma e alarme contra possíveis invasores. Quando saía para dar uma volta ou visitar Princesa, fechava a porta do tapume, deixava os dois cachorros maiores tomando conta e levava os outros.

Isaías mal sabia ler e escrever. Não era hábil com as palavras e seus gestos e emoções eram contidos. Ninguém conhecia nada sobre sua vida, nem mesmo de onde ele viera. Pelo tipo físico, poderia ter vindo da região amazônica. Quando perguntavam, dizia não saber com certeza. Tinha um documento de identidade obtido graças à Comissão Pastoral da Terra no qual constavam o primeiro nome da mãe e a região em que supostamente havia nascido: Parintins, no Amazonas. Quanto a lembranças infantis, não sabia se eram reais ou inventadas. Tinha uma admiração reverente, silenciosa e secreta por Princesa, e ela a notava claramente. Isaías nunca vira um ser humano como ela. Tudo em Princesa o fascinava: a pele incrivelmente branca, os olhos cinza-azulados, as mãos e os pés delicados, o volume espantoso do corpo. Isaías não se sentia sexualmente atraído, apesar de já ter imaginado como seria ela nua. Não via a obesidade dela como uma aberração ou doença. Para Isaías, Princesa era uma espécie de personagem do cinema na qual toda aquela devastação não era real, mas apenas cenográfica. Admirava sobretudo sua inteligência e sabedoria, que só podiam pertencer a alguém daquele porte e com aquele nome. Pensou em Princesa durante todo o percurso de volta. Com a carroça mais leve e a cabeça voltada para o ilimitado que Princesa representava para ele, chegou antes da hora marcada ao depósito onde o amigo Jorge Carroça aguardava a devolução de seu burro sem rabo.

O percurso de Copacabana ao Centro tinha cansado Princesa, e o sacolejo constante a deixara com vontade de urinar, mas ela esperou até Isaías ir embora. Durante o dia, quando possível, utilizava o banheiro de algum bar ou posto de gasolina próximo. O banho era o menor dos problemas. Além de não exigir tanta urgência, podia ser parcial, e o intervalo entre um e outro podia se prolongar de dias a semanas. Quanto à alimentação, Princesa se portava como uma criança: esperava que os outros suprissem suas necessidades — o que de fato sempre acontecia. De resto, nas atitudes, nos gestos, no modo de falar, agia como uma verdadeira princesa.

Não sabia se era por estar de volta ao Centro depois de tanto tempo, por Isaías ter ido embora deixando-a sozinha ou pela circunstância incomum de não haver nenhum sem-teto naquele trecho de rua, mas a verdade é que Princesa sentia-se inquieta. Nas noites de sexta-feira, quando o Centro começa a se esvaziar por causa do fim de semana, os espaços melhores passavam a ser ocupados por moradores de rua e todo tipo de vagabundo. Mas naquele trecho não havia mais ninguém além dela. O movimento da boate era pequeno e o porteiro ficava postado um pouco mais adiante. Princesa custou a pegar no sono e acordava várias vezes ao menor barulho. E qualquer barulho lhe soava estranho. Acordou com a luz do dia e com o ruído dos empregados fazendo a faxina na boate. Um deles lhe trouxe um copo de café e biscoitos. Tinha cabelo grisalho e parecia o encarregado da limpeza.

— Bom dia, Princesa.

— Você sabe o meu nome — disse ela, surpresa.

— Você fez ponto aqui uma vez. Eu já trabalhava na casa. Não dá pra esquecer você.

— Obrigada pelo café.

— Não vim só por causa do café, vim te dar um recado.

— Recado de quem?

— Do patrão.

— Eu não tenho patrão.

— Mas eu tenho. É o dono da boate onde eu trabalho.

— E qual o recado?

— Ele quer que você saia daqui.

Princesa ficou sem reação, como se não tivesse entendido o recado, sem saber o que fazer.

— Mas eu já fiquei aqui outras vezes e ele nunca reclamou.

— Mas agora está reclamando.

Princesa ficou em silêncio.

— Não acho uma boa você voltar para este ponto — continuou o homem de cabelo grisalho.

— Por quê?

— Porque eu sei que nem o dono da boate nem o dono do restaurante querem você esparramada aí entre as duas casas.

— Eu não fico esparramada. Não sou bêbada nem drogada.

— Eu sei. Acho que eles também sabem. Mas os frequentadores do restaurante e da boate não gostam de te ver sentada no chão com essas sacolas, ao lado da porta de entrada.

— E sem as sacolas?

— Dá no mesmo.

— Então eles não gostam é de mim.

— Sentada no chão.

— E se eu sentar numa cadeira?

— Você não consegue sentar numa cadeira. Além do mais, deve fazer um bom tempo que você não toma banho, sua roupa está suja, *você* está toda suja, com o cabelo sujo e desgrenhado... O patrão diz que você espanta os clientes.

— Os clientes dele nunca me falaram nada.

— Princesa, não cria caso, estou dizendo essas coisas porque gosto de você. Não te quero mal. Mas os patrões eu não sei. Eu te aconselho a procurar outro lugar. Pode ser na rua aqui do lado... ou na outra quadra... onde você quiser. Mas aqui não vai ser uma boa.

— O que eles podem fazer comigo?

— Podem fazer coisas ruins. É melhor você sair.

Princesa estava numa região que conhecia bem e onde já havia se sentido muito segura, mas nessa manhã de sábado, com quase nenhum movimento de pedestres no centro da cidade e depois da conversa com o homem de cabelo grisalho, sentiu-se ameaçada e desamparada. Gostaria que Isaías estivesse ali para protegê-la ou então algum de seus companheiros de rua. O medo e o desamparo a fizeram sentir vontade de esvaziar a bexiga e o intestino. Pensou em chamar o homem do cabelo grisalho e pedir para usar o banheiro da boate, mas logo percebeu o absurdo da ideia. Não toleravam sua presença nem na calçada, quanto mais dentro da boate, atrapalhando os funcionários que faziam a faxina. Restava o parque do Flamengo, a duas quadras dali, mas ela teria que atravessar duas pistas de alta velocidade. Outra possibilidade eram os banheiros do estacionamento subterrâneo da praça Mahatma Gandhi; para ir até lá, teria que atravessar apenas a avenida Rio Branco, que tinha sinal luminoso para pedestres.

Toda a manobra, incluindo as travessias de ida e volta, levou quase uma hora. Quando Princesa voltou, encontrou as sacolas com seus pertences dentro de uma caixa de papelão a uns dez metros de onde ela se instalara.

O homem de cabelo grisalho esperava por ela.

— Procuramos você e não encontramos. Precisávamos lavar a calçada e não queríamos molhar suas coisas. Pusemos tudo dentro daquela caixa.

— Por que não esperou eu voltar?

— Porque a gente não sabia aonde você tinha ido e precisava terminar o serviço. Achei que você estava procurando outro lugar... como eu aconselhei.

— Não pense que só porque me deu um copo de café você tem o direito de me dar conselho.

— Só estou querendo ajudar.

— Você está querendo ajudar é o seu patrão.

— Não quero que maltratem você.

— Pois já começaram a maltratar. Se eu tivesse ficado sentada aqui, você teria jogado água em mim.

— Princesa, eu te conheço desde antes de passarem a te chamar de Princesa. Eu sempre trabalhei aqui no Centro e vi quando você apareceu pela primeira vez aqui na região e começou a ficar pelas calçadas. Vejo você andando por aí desde que eu era adolescente. Tenho uma filha que deve ter a sua idade. Eu nunca ia jogar água em você, mas se alguém tiver que tirar você daqui, prefiro que seja eu. Pelo menos não vou te machucar nem deixar que te machuquem. Mas pode ser que eu não esteja por perto quando fizerem isso.

Princesa foi até onde estavam suas coisas, arrastou a caixa até a parede do prédio, arrumou as sacolas e os pedaços de papelão, sentou-se e fechou os olhos. Naquele quarteirão não havia nem um bar nem um restaurante aberto, mas ela sabia que dobrando a esquina encontraria alguns botequins que ficavam abertos mesmo aos sábados e domingos. Continuou pensando, de olhos fechados. Não devia ter se mudado de Copacabana para o Centro num fim de semana, quando o comércio está fechado e não tem quase ninguém na rua — ninguém para socorrê-la, se fosse preciso. Não acreditava na ajuda do homem de cabelo grisalho. Ele era pau-mandado. E que história era aquela de que a conhecia desde antes de ela se chamar Princesa? Por que inventar isso? Para deixá-la confusa? Abriu os olhos. Ninguém por perto. A porta da boate estava fechada. Ela podia apostar que o dono da boate nunca a tinha visto naquela calçada. O homem do cabelo grisalho é que a caguetara. Precisava sair dali.

Podia tentar a praça da Cinelândia, uma quadra adiante. Ali havia espaço suficiente para ela e muitos bares e restaurantes. A qualquer hora do dia ou da noite, sempre passava gente, ninguém iria expulsá-la dali. Em compensação, o local era barra-pesada. Tinha medo de lugares vazios, mas também temia lugares da bandidagem. Bandido convive com bandido, traficante com traficante, drogado convive com drogado, e ela não era nada disso, era muito diferente das pessoas que frequentavam a praça da Cinelândia, pessoas que a olhavam como se ela fosse um ser estranho, meio gente, meio monstro, mesmo que ela visivelmente não ameaçasse ninguém. Talvez a maioria das pessoas não pensasse assim, não acreditasse que uma pessoa gorda pudesse ser inofensiva... Uma pessoa tão gorda assim devia carregar muita maldade dentro de si. Era o que eles deviam pensar, era o que ela achava que eles pensavam. E tinha medo.

Apesar do medo, Princesa optou pela praça da Cinelândia, mais movimentada e mais policiada, e se dirigiu para lá. Deixou os longos bancos de madeira para os ocupantes habituais e buscou a calçada sob a marquise mais ampla entre a parede de uma agência bancária e a de um McDonald's — o banco costumava manter seguranças ali dia e noite. Claro que o segurança estaria mais preocupado em proteger o interior da agência do que uma moradora de rua lá fora, mas pelo menos ela poderia contar com uma pessoa de certa forma também atenta ao que acontecia na parte externa da agência, onde ela estaria recostada. No momento, porém, uma de suas preocupações era que

Isaías fosse procurá-la no local onde a deixara e não a encontrasse lá. Daí Princesa ter escolhido a praça da Cinelândia, suficientemente próxima para que Isaías a visse mesmo de longe. Entre os problemas mais imediatos, o primeiro e mais importante era ela não ser conhecida dos garçons da vizinhança nem dos moradores e profissionais que trabalhavam nos prédios próximos. Teria de se fazer conhecer, conquistar a simpatia dos garçons e conseguir o que comer naquele primeiro dia, o que só foi acontecer no final da tarde. O movimento dos bares e do cinema Odeon rendeu algumas sobras de sanduíches e de batatas fritas do McDonald's.

À noite, com a praça bem iluminada e as calçadas ainda movimentadas, os pivetes se aproximaram para examinar a nova residente. Chegaram correndo como num ataque em massa, mas, ao perceberem que Princesa não se assustou nem se mexeu para se defender, diminuíram o ímpeto e se postaram em torno dela apenas curiosos. Princesa chamou-os para mais perto, apresentou-se e disse que estava ali por pouco tempo e que não tomaria o espaço deles. Perguntou o nome de cada um, onde eles dormiam e como faziam para se alimentar. Em pouco tempo, estavam sentados ouvindo como ela viera do Sul e se tornara uma sem-teto no Rio de Janeiro. Depois Princesa pediu que cada um contasse sua história. Dormiu sem ser perturbada e conseguiu atravessar o domingo tendo suas necessidades básicas minimamente atendidas. Isaías não apareceu.

A segunda-feira amanheceu com chuva e vento. O movimento nas ruas estava apenas começando e a maior parte do comércio permanecia fechada, com exceção dos bares que atendiam os que tomavam o café da manhã na rua. Ao lado de Princesa, sob a mesma marquise, os garotos da noite anterior dormiam enfileirados, colados uns aos outros. Ela havia estabelecido uma boa relação com eles, muito mais pensando em se proteger dos meninos do que em estabelecer um vínculo com eles. Não queria ser mãe substituta nem chefe de pivetes.

A cada cinco minutos, a saída do metrô despejava na Cinelândia centenas de passageiros a caminho do trabalho, mas apenas uns poucos detinham brevemente o olhar ao passar por ela. A pressa em escapar da chuva e os próprios guarda-chuvas não contribuíam para que prestassem atenção em Princesa. Ela se dava conta disso, sabia que numa segunda vez talvez a olhassem mais demoradamente e que numa terceira ou quarta vez ela talvez pudesse cumprimentá-los e pedir um café. Não demorou muito para que se tornasse conhecida dos guardas, seguranças e garçons dos prédios e restaurantes vizinhos. Sentia falta de Isaías. Em Copacabana, sempre que podia ele aparecia com os cachorros para trocar algumas palavras com ela. Talvez a dificuldade fosse Isaías não poder entrar com os cachorros no metrô nem no ônibus, e a pé a distância era grande para se deslocar com eles no meio do tráfego.

3

Fazia três dias que Irene voltara de São Paulo e eles ainda não tinham se visto. Combinaram jantar juntos, como faziam frequentemente. Espinosa pegava Irene no apartamento dela em Ipanema e os dois saíam caminhando em direção a um dos muitos restaurantes do bairro. Quase sempre a caminhada terminava em um dos três restaurantes preferidos deles, naquela época do ano a exigência inarredável era a qualidade do ar-condicionado. Nos dez anos de relacionamento com Espinosa, Irene mantivera a beleza, a sensualidade e a inteligência que o cativaram desde o primeiro encontro, quando ela tinha trinta e dois anos e ele quarenta e dois. Agora, com quarenta e dois anos, Irene ainda era uma mulher muito bonita, enquanto Espinosa sentia ter decaído fisicamente muito mais que os dez anos cronológicos que os separavam. Irene conservara a juventude no corpo e no espírito, enquanto os sinais que ele encontrava em si mesmo eram antecipações da senilidade. Achava que Irene saíra perdendo ao escolhê-lo.

— O que é, meu bem? Por que essa cara de quem perdeu todas as bolinhas de gude?

— Desculpe, é que realmente os últimos dias foram de perdas.

— Caso novo complicado?

— Na verdade, nem chegou a complicar, mas o estranho é que ele pode ter alguma ligação comigo.

— Você está implicado nele?

Espinosa fez um resumo dos acontecimentos sobre o

morto da avenida Copacabana, falou do número escrito na palma da mão dele e de Princesa, que estava a menos de dez metros da cena do crime e desaparecera.

— O morto já foi identificado?

— O nome no bilhete da passagem de avião é A. Domínguez, mas o apelidamos de "Estrangeiro".

— Jovem?

— Aí pelos quarenta.

Espinosa puxou do bolso a fotografia tirada por Welber e entregou-a a Irene, que olhou longamente para ela.

Tinham escolhido um pequeno bistrô, quase uma adega em Ipanema. O cardápio era limitado, mas de bom gosto; as paredes eram cobertas por garrafas de vinho, do chão ao teto. Espinosa perguntou sobre o trabalho de Irene, ela contou um pouco como estavam as coisa, depois perguntou sobre a reforma no apartamento dele. Ao saírem, Espinosa disse:

— No seu apartamento ou no meu hotel?

— Hoje a hospedagem é por minha conta — respondeu Irene, rindo.

Na manhã seguinte, cada um saiu num táxi para destinos diferentes. Espinosa deu o endereço do Bairro Peixoto, porque queria passar antes no apartamento para dar uma olhada na obra. Pelo andamento dos trabalhos, não ficou muito otimista sobre o cumprimento do prazo combinado para a conclusão da reforma, embora os pedreiros garantissem que faltavam apenas os acabamentos. Talvez a diferença fosse esta, eles pensavam no plural, enquanto Espinosa pensava no singular: não queria os acabamentos, queria o acabamento, ou seja, o término da obra. Em seguida, andou até o hotel para tomar banho e trocar de roupa. Depois de um segundo café da manhã, seguiu a pé para a delegacia.

Apesar dos vários casos em andamento, Espinosa manteve os inspetores Welber e Ramiro encarregados da investigação da morte de A. Domínguez. O caso chegara aos jornais não tanto pelo assassinato de um homem durante a madrugada na principal artéria de Copacabana, mas porque uma semana se passara sem que as duas delegacias envolvidas na investigação, a Homicídios e a 12ª DP, conseguissem alguma pista do assassino ou das circunstâncias do crime. Foi essa constrangedora ignorância que ganhou destaque na mídia.

Assim que entrou em seu gabinete, Espinosa mandou chamar Welber.

— Bom dia, delegado.

— Alguma novidade?

— Pouca coisa. Ramiro e eu fizemos o levantamento dos hotéis da orla. Nada sobre o Estrangeiro. Conversamos também com cada porteiro, vigilante e faxineiro que trabalha à noite naquele trecho da avenida Copacabana e concluímos que a Princesa não é propriamente amiga dos sem-teto da área. Mesmo porque os sem-teto que dormem debaixo daquela marquise variam, são poucos os que repetem o lugar. Não acreditamos que formem um bando e é pouco provável que todos se conheçam. No entanto, descobrimos que ela recebe a visita de um sujeito que aparece lá duas ou três vezes por semana tarde da noite com uma meia dúzia de cachorros. Os dois ficam conversando. Soubemos que ele trabalha como vigia em uma obra ali perto. Percorremos as obras da região e conseguimos localizar o homem, só que ainda não falamos com ele. Outra boa notícia é que a descrição da Princesa que divulgamos pela internet deu resultado. Recebemos agora de manhã um e-mail dizendo que há uma mulher na Cinelândia que confere com a descrição.

— Então você e Ramiro vão falar com o homem dos cachorros. Descubram o que ele sabe sobre ela. Eu vou à Cinelândia fazer uma visita à Princesa.

De repente as coisas começavam a mudar para melhor. Espinosa caminhou até a estação do metrô, distante apenas uma quadra da delegacia, pensando nas razões que teriam levado Princesa a se mudar.

Menos de vinte minutos depois, ele descia na estação Cinelândia. Escolheu a saída próxima ao Cine Odeon, a poucos metros de onde a moça tinha sido vista. Antes passou pela cafeteria do cinema, pediu um copo de café e alguns brioches. Princesa só percebeu que era Espinosa quando viu a mão que lhe estendia um copo e um saco de papel.

— Então você me encontrou — disse, suavemente.

— Não era para encontrar? — respondeu Espinosa.

— Não sei, foi depressa.

— Por quê? Você está fugindo de mim?

— Fugindo não, me escondendo.

— E por que se escondendo?

— Você estava chegando muito perto.

— Perto do quê? De você? Dos seus amigos?

— Não tenho amigos.

— Melhor você tomar o café antes que esfrie.

— Aqui não tem o degrauzinho para você sentar — disse ela, olhando para os lados.

Espinosa pegou emprestada uma cadeira da varanda do restaurante ao lado e sentou montado no assento com os braços e o queixo apoiados no encosto.

Enquanto Princesa comia seu lanche, o delegado observava os passantes. Entre eles, facilmente identificou os da fauna local: pivetes, punguistas e auxiliares de traficante, todos já pegando no batente. O expediente das prostitutas e dos cafetões começava só ao cair da tarde. Quando viu Princesa fechar cuidadosamente o saquinho de papel com os brioches que sobraram e guardá-lo em uma de suas sacolas de plástico, Espinosa retomou a conversa interrompida.

— Então, Princesa, por que está se escondendo de mim?

— Eu já disse. Você estava chegando muito perto.

— Perto do quê?

— Perto da gente. Quem não é como a gente é uma ameaça. Você é delegado de polícia. Quando a polícia chega perto, é sempre pra ameaçar, bater, prender. Você vai dizer que não faz nada disso, mas não adianta. Não adianta o dono do cachorro dizer que ele é bonzinho, que nunca mordeu ninguém. Vai chegar o dia em que ele morde até o dono. É da natureza dele.

— Eu não sou um cachorro — disse Espinosa.

— Mas é policial.

— E?

— Dizem que você é um bom policial, que não ameaça nem agride ninguém, que não bate nem mata. Mas um dia você vai fazer isso. É que nem cachorro manso. Foi por isso que me afastei. Você e seus colegas chegaram perto demais. A gente fica com medo.

— Não estou ameaçando vocês, muito menos você; quero apenas descobrir quem matou aquele homem.

— E se você cismar que um de nós matou o homem?

— Não basta eu cismar, tenho que provar.

— Nós achamos que basta cismar — disse ela.

— Quer dizer que não podemos ser amigos?

— Você acha que podemos? — devolveu Princesa.

— Acredito que não.

Princesa se sensibilizou com a resposta rápida de Espinosa.

— Por que não?

— Porque, ao contrário do que você pensa, nós nunca ficamos realmente perto um do outro. Podemos não ser amigos ainda, isso leva tempo mesmo, mas pelo menos podemos conversar, você não acha?

— Só que desta conversa eu não estou gostando. Eu gostava mais daquelas que tivemos em Copacabana — disse Princesa.

— Porque naquelas conversas não falamos sobre nós mesmos, falamos sobre o morto. É mais fácil. Sobretudo quando o morto é desconhecido — disse Espinosa.

Princesa estava inquieta. Mudava as sacolas de lugar, examinava o conteúdo de algumas, puxava a saia para baixo o tempo todo, tentava ajeitar o cabelo, tornava a mudar as sacolas de lugar. Também Espinosa se sentia incomodado de estar sentado naquela cadeira em plena Cinelândia, sob o olhar dos curiosos.

— Você pretende continuar aqui? É melhor do que em Copacabana?

— Copacabana é melhor — respondeu Princesa num tom quase inaudível.

— Então por que não volta para lá? Este lugar não é bom para você.

— Que lugar é bom para mim?

— Isso só você pode responder, mas se quiser voltar a Copacabana e precisar de ajuda, ligue para a 12ª DP ou para o meu celular. Fique com o meu cartão, meu celular está anotado atrás.

Espinosa se levantou e devolveu a cadeira ao restaurante.

— Gostaria de continuar nossa conversa... Se você quiser, é claro. Seu sono aqui na Cinelândia continua pesado? Os pivetes, os travestis e os vagabundos estão deixando você dormir em paz?

— Já dormi em lugar pior.

— Até a vista, Princesa. Vou te procurar de novo. E lembre-se: se as coisas ficarem ruins aqui, ligue para mim.

— Até a vista, delegado.

Espinosa acenou e se dirigiu à estação de metrô.

No trajeto de volta, foi pensando na conversa que teve com Princesa. Sem dúvida a atitude dela com ele mudara em relação aos encontros anteriores. O Centro era mais hostil e oferecia mais perigo a uma pessoa frágil como Princesa, especialmente a Cinelândia, com sua numerosa população marginal e espaços já demarcados entre traficantes, prostitutas, cafetões, travestis, pivetes. Se ela havia preferido se mudar para lá mesmo expondo-se a tantos riscos, é porque Copacabana de fato se tornara muito mais ameaçadora, e, segundo ela, porque ele estava chegando perto demais. Perto demais do quê? De quem matara o desconhecido ou de quem testemunhara o assassinato? Outra mudança que Espinosa sentiu foi que o acolhimento das primeiras vezes fora substituído por uma atitude mais ofensiva e crítica.

Era quase meio-dia quando Espinosa chegou à delegacia. Ramiro e Welber esperavam por ele.

— E então, como foi com o homem dos cachorros? — perguntou o delegado.

— O nome dele é Isaías — disse Welber. — É um sujeito muito simples, sem instrução, fisicamente bem forte, mas sem nenhuma agressividade. Vive cercado de cachorros, tem seis. O trabalho dele é o que há de mais monótono: fica tomando conta de um prédio que estava em construção mas que parou no esqueleto; ele não sabe dizer por que a obra foi interrompida, e seu trabalho consiste em apenas ficar lá, evitando invasores. Não tem mais ninguém com ele. Fica sozinho o tempo todo, dia e noite, com seus cachorros.

— E o que ele disse?

— Quase nada. Quer dizer, falou alguma coisa, mas nada de importante. Ele não conhece os moradores de rua, só a Princesa. Tem veneração por ela. Para ele a Princesa é como uma entidade, uma pessoa de grande sabedoria e poder espiritual. Ele procura por ela com a fé com que um crente procura um sacerdote. Foi ele que levou a Princesa até o Centro num burro sem rabo. Disse que ela pediu. Não falou nada do crime. Deu para perceber que ele seria incapaz de dizer ou fazer qualquer coisa que pudesse prejudicá-la. Pode até ser que o Isaías saiba alguma coisa sobre o crime, mas acho que só vai abrir o bico se tiver certeza de que nada vai acontecer com a Princesa.

— Muito bem. Da próxima vez, a gente inverte. Vocês conversam com a Princesa e eu com o Isaías. Já almoçaram? Que tal uns bolinhos de bacalhau aqui em frente?

* * *

Passava das oito da noite. O movimento no Centro diminuíra sensivelmente. Caía uma chuva fina desde o final da tarde, e na Cinelândia os restaurantes e bares com mesas na calçada baixaram até o chão seus toldos protetores de plástico transparente. Os grupos de pivetes e sem-teto procuraram abrigo debaixo das marquises dos becos e das ruas internas para se protegerem do vento. As prostitutas abriram guarda-chuvas e os pedestres aceleraram o passo rumo à estação do metrô. Princesa não se afastara de seu ponto entre o McDonald's e a agência bancária. A marquise do prédio era mais estreita do que a que ela estava habituada em Copacabana, e se começasse a ventar não a protegeria da chuva. A temperatura caiu um pouco e um vento leve vindo da baía começou a soprar. Princesa sentiu vontade de urinar. Não podia ser ali. Não havia sem-teto conhecidos como em Copacabana, e além dela só viu um mendigo bêbado deitado na soleira da porta de um prédio. Ninguém conhecido. Nenhum lugar onde deixar seus pertences. Enfiou os pedaços de papelão na grade de ferro do banco, junto com três sacolas de plástico, pegou as duas sacolas com roupas e objetos pessoais, e saiu andando em direção à praça Mahatma Gandhi, ao lado da praça da Cinelândia. Quando voltou, meia hora depois, o mendigo bêbado tinha sumido e com ele as sacolas de Princesa e quase todos os seus pedaços de papelão. Dentro das sacolas não havia nada de valor, somente outras sacolas, jornais e pedaços de papel.

Por volta das nove horas, depois de ter se acomodado no lugar de antes com os poucos pedaços de papelão restantes e suas duas sacolas com roupas, Princesa pensou na proposta do delegado Espinosa, de ela voltar para Copacabana. "Este lugar não é bom para você"... "Se precisar de ajuda, ligue para o meu celular"... Estava pensando na conversa com o delegado quando percebeu o homem parado ao seu lado.

— Quer dizer que a polícia agora está aceitando gente de circo para X-9?

Princesa não entendeu a frase ou não a entendeu de imediato. Ficou olhando com ar interrogativo para o homem muito baixo, muito magro e muito feio vestido de terno e gravata.

— Não entendi o que você disse.

— *Você*, não. Senhor.

— O que é que o senhor disse?

— Estou achando que você está de treta com a polícia.

— Que treta? Não sei de treta nenhuma.

— Escuta, Branca de Neve, não brinca comigo.

Princesa olhava para aquele homenzinho assustador sem entender direito o que ele queria. Ele continuou falando:

— Você chega aqui do nada. E não é nenhuma fadinha. Se instala aqui na praça como se fosse a dona do lugar, num ponto perfeito para controlar o movimento dos meninos, das mulheres, das travecas, do pessoal da punga, do pessoal do cheiro. Depois chama os meus meninos, conta pra eles uma história sem pé nem cabeça, aí pede que cada menino conte a sua história, e todos acabam dormindo com você como se você fosse a mãe deles. No dia seguinte aparece ninguém menos que o delegado Espinosa com um lanchinho pra você, senta do teu lado como se fossem velhos amigos, batem um longo papo, depois ele vai embora. Aí eu pergunto: o que significa tudo isso?

— Não significa nada.

— Não significa nada? — disse ele baixinho.

— Ele quer que eu saia daqui.

— Ah! Ele quer que você saia daqui. Eu também quero, porra! Mas antes quero saber o que você veio fazer aqui — continuou o homenzinho, quase murmurando no ouvido dela.

— Eu... Eu vim para fugir dele.

— Maravilha! Você veio fugindo dele! Você e o delegado Espinosa são noivos. Vocês brigaram. Você não quer

4

Depois da reunião que fazia todo fim de tarde com os inspetores da delegacia, Espinosa chamou Welber e Ramiro de lado e recomendou que ficassem de olho em Princesa.

— Se o assassino soube que estive conversando com ela, pode achar que ela presenciou o assassinato e que me passou informações como testemunha do crime. E a Cinelândia de madrugada seria um excelente lugar para silenciar a Princesa. Quero que vocês conversem com ela amanhã de manhã e a convençam a voltar para Copacabana. Se ela topar, aluguem uma Kombi ou uma van, um veículo que tenha portas laterais amplas, e a tragam na mesma hora. Enquanto isso, vou conversar com o vigia Isaías.

O prédio inacabado ficava na rua Santa Clara, num terreno que dava fundos para o morro dos Cabritos. Era um esqueleto cinza de dez andares, protegido na frente por um tapume de madeira com uma porta de folha dupla no meio. Não havia campainha nem abertura no tapume, portanto era impossível chamar alguém lá dentro. Espinosa experimentou empurrar o portão, que apenas se moveu um pouco mas não abriu. Os cachorros começaram a latir em bloco. Espinosa entendeu por que não havia campainha. Passado um minuto, viu um rosto aparecer na fresta entreaberta do portão.

— Isaías? — perguntou Espinosa, tentando se fazer ouvir sobre os latidos, agora mais fortes e mais próximos.

— Sou eu — disse o homem, acalmando os cachorros.

— Sou o delegado Espinosa, da 12ª DP. Podemos conversar um pouco?

— Delegado? Conversar? Sim, pode entrar, não precisa ter medo dos cachorros, eles não fazem nada quando eu estou junto.

Isaías abriu uma folha do portão e afastou os cachorros para o delegado entrar. Os menores e mais pacatos se aproximaram abanando o rabo e cheirando as pernas de Espinosa; os dois maiores, menos amistosos, ficaram à distância. Isaías apontou dois bancos na parte coberta da construção e entrou no que parecia um cômodo de madeira, de onde voltou com uma cadeira de plástico.

— Senta aqui, delegado, é melhor. Eu já estou acostumado com o banco.

Isaías era bem mais alto e mais forte que Espinosa, e mais jovem. Sua expressão não era nem simpática nem antipática, mas de expectativa.

— Meus dois auxiliares, os inspetores Welber e Ramiro, já estiveram aqui conversando com você, mas eu gostaria que você me falasse um pouco mais sobre a Princesa.

Espinosa sentiu o corpo do homem se retesar ligeiramente e a expressão meio que congelar.

— Não se preocupe. Não há nada contra ela. Gosto da Princesa e sei que vocês são amigos. Ela não está mais no lugar onde você a deixou quando a levou de carroça; agora está na praça da Cinelândia. Fui conversar com ela, disse que aquele não é um lugar seguro para ela ficar, é frequentado por traficantes, prostitutas, cafetões, assaltantes... e Princesa fica ali exposta e sem defesa no meio dessa gente. Tentei trazê-la de volta para Copacabana, mas ela não quis vir. Minha esperança é que você consiga convencê-la.

Espinosa percebeu o corpo do outro se descontrair e seu rosto desanuviar. Isaías não respondeu imediatamente. Parecia estar processando devagar o que o delegado acabara de dizer.

— Se ela não quer, como a gente vai convencer ela a voltar?

— Eu não aguentava mais ficar lá. Não me deixaram ficar no lugar onde você me deixou, tive que me mudar para a Cinelândia, e lá só tem gente ruim. Me ameaçaram, disseram que eu era caguete, que eu estava ali mandada pela polícia. Depois apareceu uma bêbada que me xingou, me deu socos, me chutou. Fiquei com muito medo.

— Por que você não me chamou? — perguntou Isaías.

— Chamar como? Eu não tenho telefone, nem você. Também não sei onde você mora.

— Agora está tudo bem. Você está aqui — disse Isaías.

— Na briga com a bêbada rasguei a saia e a blusa.

— Vou arranjar umas roupas pra você. Fiquei preocupado com você sozinha naquela lonjura.

— Não é lonjura, Isaías, já morei lá durante um tempo, antes de vir aqui pra Copacabana. Mas era diferente. Tinha até a Kombi da sopa, ela passava de noite, quando não tinha mais ninguém pelas calçadas, e dava comida pra gente. Hoje só tem bandido. Os sem-teto foram dormir em outras ruas.

— Princesa, tenho uma pergunta pra te fazer. Não fica aborrecida comigo, mas preciso fazer.

— O que é?

— Por que esse delegado Espinosa está ajudando você?

— Por que você está perguntando isso?

— Porque alguma coisa eles estão querendo.

— E o que você acha que eles estão querendo?

— Não sei, Princesa, mas eles são da polícia, por isso boa coisa não deve ser.

— O que você está achando que deve ser?

— Não sei, não, mas ouvi dizer que mataram um homem aqui, bem em frente de onde vocês ficam.

— Mataram mesmo. Eu estava dormindo. Não vi nada.

— E que depois de enfiarem a faca nele, arrastaram o homem até o prédio aqui do lado.

— É verdade. Mas eu estava dormindo.

— E não viu nada.

— Isso mesmo, não vi nada.

Isaías ficou recolhido em silêncio, como se estivesse pitando um cigarro ou rezando, embora ele não tivesse o hábito de fumar nem de rezar.

— Por que você está perguntando tudo isso, Isaías?

— Porque é claro que a polícia deve estar procurando quem matou o tal homem, e quando a polícia não encontra quem matou, acaba encontrando alguém pra ter matado, e esse alguém pode ser um morador de rua.

— Mas eles sabem que eu não tenho como matar ninguém, Isaías. Mal consigo me levantar e ficar de pé, quanto mais matar um homem. E você? Por acaso está achando que eu matei?

— Eu não estou achando que você matou, Princesa. Só tenho medo que *eles* acabem achando que foi você.

— Mas por que eles iam achar isso? — perguntou Princesa.

— Depois deles não acharem nenhum outro, eles bem que podem achar isso.

— Isso está parecendo conversa de maluco — disse Princesa, rindo.

— Acontece que quando é a gente que pensa isso é conversa de maluco, mas quando eles é que pensam isso, aí vira conversa de polícia.

— O delegado Espinosa não está pensando que eu matei o homem. Ele está pensando é que eu vi matarem o homem e que não estou querendo dizer quem foi.

— E você não viu mesmo?

— Eu estava dormindo, não podia ver nada. Foi o que eu disse para o delegado Espinosa. E, também, se não fui eu que matei, que diferença faz quem matou?

Isaías ficou satisfeito com o que Princesa contou, porém não totalmente tranquilo. Sabia que ela não estava mentindo, mas tinha a impressão de que faltava alguma coisa ou tinha coisa demais naquela história, só que ele não conseguia descobrir o que estava faltando ou o que estava sobrando. Achava o mundo complicado demais, e as pessoas mais ainda. Mesmo que tivessem dito que o tal delegado tres para não ser visto por ela, mas nas duas vezes não viu o que ele supunha que fosse ver: Isaías visitando Princesa para relatar a morte dramática de seus cachorros. Tanto na ida como na volta, viu Princesa sozinha. Provavelmente ela ainda nem sabia do episódio dos cachorros. Embora Isaías morasse ali perto, os dois só se comunicavam quando ele a procurava, o que acontecia somente à noite.

Mais um fim de semana, e a morte do Estrangeiro iria completar duas semanas. Até então nenhum progresso, nenhum dado novo, a não ser o assassinato dos cachorros, e mesmo esse fato só se ligava à morte do homem por um elo muito tênue, que era os cachorros terem pertencido a um vigia que conhecia Princesa.

Quinta-feira, dez e meia da noite, e o Bairro Peixoto estava imerso em sua costumeira calma noturna. Depois de transferir seus registros do dia para o computador, Espinosa retomou a leitura iniciada no hotel. Nesses momentos, o invadia o sentimento agudo de que o tempo passara e cristalizara nele certos hábitos chamados de hábitos da velhice, embora tivesse consciência de que aos cinquenta e dois anos não era de forma alguma um velho. Mas o hábito estava ali, junto com outros, todos reforçados por alguns pequenos desconfortos musculares e ocasionais azias e dores de cabeça.

Insistiu na leitura e aos poucos foi sendo transportado para outro lugar e outro tempo, absorvido por completo pela narrativa, até a ficção se misturar com o sonho. Acordou por volta de uma hora, passou para a cama e dormiu até as sete da manhã.

Antes de ir para a delegacia, passou pelo apartamento em obras. O aspecto geral deixou-o mais animado. Teve a impressão que os trabalhos realmente estavam chegando ao fim, e recebeu a garantia de que na segunda-feira já poderia voltar para casa.

Na delegacia, conversou com Ramiro e Welber sobre a morte dos cachorros. A perícia confirmara a presença de chumbinho na carne.

— Perguntamos aos moradores dos prédios em frente e ao lado da obra se alguém tinha visto alguma coisa na madrugada da matança. Ninguém por ali viu nada, nem os moradores nem os porteiros nem os garagistas nem as empregadas dos prédios. O mais provável é que o matador tenha jogado não uma bola de cada vez, mas todas de uma vez só. Pode ter sido alguém descendo a rua de bicicleta...

— O que mais me intriga — disse Espinosa — não é *como* a coisa foi feita, mas *por quê* ou *para quê*.

5

A ideia de uma manhã de sábado passeando com Irene pela orla de Ipanema e Leblon e depois almoçando num terraço à beira-mar começou a se inviabilizar na noite de sexta-feira, quando a tempestade tropical que desabou sobre a cidade não amainou. Pela intensidade da chuva, os dois a princípio imaginaram que ela não iria durar muito tempo e que no dia seguinte o céu amanheceria azul. Não apenas não houve céu azul como a chuva continuou caindo durante todo o sábado, o mar encrespou e as ondas chegaram a invadir as praias, lançando areia sobre as avenidas à beira-mar. Na noite de sexta-feira, Espinosa e Irene deixaram um restaurante em Ipanema e foram diretamente para o apartamento dela, de onde só saíram na manhã de domingo, quando o tempo melhorou.

Quando a chuva começou a cair forte na sexta-feira à noite, Isaías saiu envolto numa capa impermeável amarela herdada do antigo capataz da obra e se dirigiu à marquise de Princesa, na avenida Copacabana. Não apenas ela e outros moradores de rua estavam ali, como muitos transeuntes, à espera de que o temporal amainasse. Princesa não reconheceu Isaías de longe: caminhando encurvado e com as pernas nuas à vista sob a capa amarela, ele parecia um gigantesco canário molhado. Só quando se aproximou com a capa respingando água para todos os lados, e fazendo as pessoas se afastar, é que Princesa o reconheceu.

— Ah, é você, Isaías...

— Olá, Princesa! Vim ver como você está — ele disse, sentando-se ao lado dela.

— Estou bem. Por que se preocupou? Por causa da chuva?

— Também.

— E por que mais?

— Sabe, Princesa, o tal delegado disse que você não estava segura lá na Cinelândia... Pois eu acho que você não está segura nem lá nem aqui em Copacabana. Viu o que fizeram com os meus cachorros?

— O que fizeram com os seus cachorros?

Imediatamente Isaías se deu conta de que Princesa não poderia saber de nada, a menos que o delegado ou os ajudantes dele tivessem contado a ela. Olhou melhor para Princesa e reparou que ela estava com um casaco masculino puído e um pouco sujo por cima do vestido.

— Na segunda vou passar no abrigo e arranjar umas roupas para você.

— Obrigada. Mas você não me disse o que fizeram com os cachorros.

— Maldade.

— Que tipo de maldade?

— Mataram eles.

— Meu Deus! Como?

— Com bolinhas de carne com veneno.

Os olhos de Isaías se encheram de lágrimas.

— Pura maldade — continuou ele —, os cachorros nunca fizeram mal a ninguém... E cachorro não fala.

— O quê?

— Cachorro não fala.

— Claro que não.

— Não precisava matar. Foi o que eu disse. Se queriam me assustar, não precisavam fazer isso, porque eu não fiquei assustado. Só triste.

— Você acha que mataram seus cachorros porque você é meu amigo? Porque me tirou de Copacabana e me levou para o Centro, é isso?

— Acho que sim.

— Você acha que estão avisando que podem nos matar também?

— Acho — disse Isaías, confirmando com a cabeça.

Os dois conversavam ainda cercados pelas pessoas que tinham ido se abrigar da chuva. A marquise era larga, mas quando o vento mudava de direção a chuva atingia todo mundo. Princesa parecia alheia às condições do tempo, atenta ao que Isaías dizia.

— Como você vai fazer agora, sem os cachorros? Eles te ajudavam tanto no trabalho.

— Eu estou sentindo falta é deles, e não da ajuda que eles me davam.

— Não dá pra arrumar outros cachorros? Nem que seja um só, pra te fazer companhia?

— Não sei se eu quero. Se um cachorro entrar lá agora, vai sentir o cheiro dos cachorros mortos, não vai ser bom pra ele, vai ficar com medo.

Ficaram alguns minutos sem dizer nada. Princesa parecia refletir sobre a história que Isaías acabara de contar, e Isaías mantinha-se em seu habitual silêncio.

— O que aconteceu na Cinelândia? — ele animou-se a perguntar.

— Nada.

— Então por que você voltou?

— Não estavam gostando de eu ficar lá... Disseram que eu precisava sair.

— Quem?

— Os caras que mandam na área.

— Ameaçaram você?

— Nada de mais... Coisa boba.

Isaías voltou a se calar por algum tempo, depois disse:

— Você podia ter me avisado.

— De que jeito, Isaías? Você não tem telefone nem eu, a gente já falou sobre isso.

Novo silêncio.

— Segunda-feira passo no abrigo e pego um casaco ou uma capa de chuva pra você — disse ele.

— Obrigada.

A segunda-feira amanheceu nublada, mas sem chuva. Espinosa foi direto do apartamento de Irene para o dele, que segundo o encarregado da obra estaria pronto para ser ocupado. Maria, a faxineira, fora avisada de que na segunda-feira deveria ir até lá fazer uma faxina geral. Quando Espinosa chegou, ela já iniciara o trabalho. O delegado aprovou a reforma na cozinha e no banheiro, e o inaugurou tomando um banho agradável e demorado, apreciando as novidades. Era um bom começo de semana.

Passou no hotel para fechar a sua conta e retirar seus pertences. O computador, ele já tinha levado na sexta-feira para a delegacia. Pediu que a mala e a sacola de livros fossem entregues no seu apartamento. Em seguida, passou no banco antes de ir para a delegacia.

Assim que entrou em seu gabinete, chamou o inspetor Welber.

— Bom dia, delegado.

Welber sentou-se e ficou à espera.

— Passei no caixa automático do banco para tirar dinheiro e quando digitei a minha senha me ocorreu que o número na palma da mão do morto podia ser uma senha de banco de seis dígitos e não um número de telefone incompleto.

— E seria mera coincidência os algarismos da senha serem os seis primeiros números do seu celular?

— A probabilidade de uma coincidência dessa ocorrer é pequena, mas a possibilidade existe. Também pode ser uma senha de computador ou de algum equipamento eletrônico.

— E por que anotar na palma da mão?

— Digamos que o Estrangeiro estivesse na rua falando no celular ou num telefone público com alguém que lhe deu a senha... Espera aí! Não é nenhum número de telefone nem senha de banco!

Espinosa se levantou da cadeira, imitado por um Welber surpreso com o movimento brusco do delegado.

— É a senha do porteiro eletrônico! — disse Espinosa.

— Que porteiro eletrônico? — perguntou Welber.

— Veja bem, Welber. Ele chega de viagem, e disso não temos dúvida, pelo bilhete no bolso da calça. Pega um táxi e salta no endereço que haviam lhe passado. Só que aí se dá conta de que não tem a senha da portaria eletrônica. Talvez não esperasse chegar tão tarde ou talvez nem soubesse que havia um porteiro eletrônico. Como naquela hora não há porteiro noturno, ele não pode entrar. Larga então a mala na calçada e telefona para a pessoa que conhece a senha, e o lugar mais fácil que encontra para anotá-la é a palma da mão. Nesse instante, o assaltante o ataca, e ele é roubado e esfaqueado. O assassino, quem sabe um dos sem-teto, leva a mala e a carteira. Os outros carregam o que sobrou... Se é que sobrou alguma coisa. O que você acha?

— Faz sentido. Se o senhor estiver certo, o prédio para onde ele ia deve ser perto do local do crime.

— Basta ver qual deles tem porteiro eletrônico e tentar digitar os seis números como senha. Se algum aceitar, é o que procuramos. Vá até lá e veja se consegue localizar o edifício.

Passado um bom tempo, Welber voltou ao gabinete de Espinosa.

— E então?

— O senhor acertou. O prédio fica a uns cinquenta metros da Princesa. Eu entrei com a senha, mas ainda não sabemos para qual apartamento ele ia. O porteiro informou que existe um apartamento lá que costuma ser alugado por temporada e me deu o telefone da imobiliária que cuida do aluguel. Mostrei a foto do Estrangeiro, mas o porteiro disse que nunca viu o homem.

A imobiliária tinha um site na internet. Depois de várias tentativas, Espinosa conseguiu falar ao telefone com uma pessoa de carne e osso. A informação que obteve foi de que o apartamento fora alugado com um contrato de um mês, por uma empresa de Nova York, em nome de Albert Domínguez. Para obter os dados pessoais do senhor Domínguez, o delegado deveria entrar em contato com a empresa americana, cujo endereço na internet era www...

— Não existe mais firma real, endereço real, lugar real — comentou Espinosa —, agora é tudo www. Só falta descobrirmos que o nosso estrangeiro também é virtual.

Ramiro entrou no momento em que o delegado desligava o telefone.

— Alguma notícia? — perguntou Espinosa.

— Nada de positivo, delegado. As impressões digitais do Estrangeiro não constam dos registros da Polícia Federal. Também ainda não recebi nenhuma resposta da alfândega de São Paulo sobre um possível reconhecimento da foto que mandamos pela internet.

— Acabo de saber que o nome completo dele é Albert Domínguez e que ele estava indo para um apartamento desses alugados por temporada, situado a cinquenta metros do local onde foi encontrado morto. A imobiliária que alugou o apartamento é uma agenciadora de locações internacionais e fechou o negócio para ele a pedido de uma empresa de Nova York. Mas eles, aqui, não fornecem dados sobre os clientes — disse Espinosa.

— Podemos pedir que a polícia de Nova York investigue se esse Albert Domínguez existe realmente e se sua descrição corresponde ao cadáver que temos no IML — sugeriu Ramiro.

— Podemos tentar, mas a resposta pode demorar — disse Espinosa. — Coloquem a foto de Albert Domínguez nas redes sociais da internet, junto com o telefone da delegacia para contato.

Ainda não eram dez da manhã, quando Espinosa pegou o paletó e saiu em direção à avenida Copacabana. Encontrou Princesa tentando pentear o cabelo, que, embaraçado e não muito limpo, resistia ao correr do pente. Ao ver o delegado se aproximar, ela largou o pente e retocou o batom.

O delegado trazia o lanche de sempre.

— Olá, Princesa. Vim fazer uma visita e aproveitei para trazer seu café.

— Muita gentileza, delegado.

Princesa pegou alguns pedaços de papelão e entregou a Espinosa.

— Não se preocupe comigo — disse ele.

A chuva do fim de semana cessara, mas a rua e a calçada continuavam úmidas. Espinosa arrumou os pedaços de papelão e sentou-se.

Princesa não se apressou com o café e Espinosa não a pressionou com perguntas. Depois de algum tempo, Princesa falou.

— Então, delegado, você não veio aqui só para me trazer o café da manhã. Acho que trouxe também alguma pergunta...

— Acertou — disse Espinosa. — É o seguinte: já sei que você estava dormindo quando aquele homem foi atacado aqui na calçada, portanto de fato não pode ter visto o que ocorreu. Acontece que agora estou quase certo de que ele chegou aqui carregando uma mala. Quando o corpo foi encontrado, ele estava sem carteira, sem documentos, relógio, celular... Tampouco havia uma mala. Você sabe me dizer o que aconteceu com ela?

— Como eu já tinha dito e você acabou de repetir, eu estava dormindo. Como vou saber o que aconteceu com a mala do homem?

— Você pode ter ouvido alguém comentar alguma coisa.

— Quando o pessoal que estava aqui naquela noite

viu o que tinha acontecido, foi embora com medo de ser envolvido pela polícia no crime.

— Você viu quando eles foram embora?

— Não, mas ouvi o pessoal falando.

— E ninguém mencionou a existência de uma mala?

— Não. Ninguém. Todo mundo só falou que o homem tinha morrido.

— É curioso que os sem-teto tenham ido embora daqui logo depois do crime e ninguém tenha visto um deles carregando uma mala.

— E por que você acha que foi um deles que levou a mala?

— Porque eles arrastaram o corpo da beira da calçada até aqui, debaixo da marquise. Claro que depois de fazer isso não iam deixar uma mala solta no meio da calçada.

— Bom, mas se é que foram eles que arrastaram o corpo para debaixo da marquise.

— E não foi o que aconteceu? Não estou dizendo que os sem-teto mataram o sujeito, mas apenas que arrastaram o corpo dele pra cá.

— É, pode ser. Você deve saber melhor do que eu. Aqueles sem-teto não apareceram mais, portanto não falei mais com eles.

As respostas de Princesa eram sempre coerentes, dadas sem hesitação, tranquilas demais para quem estava sendo inquirida por um delegado de polícia sobre um assassinato. Princesa falava baixo, devagar, com um tom de voz agradável, e sempre com um leve sorriso no rosto. Nunca entrava em conflito com o que Espinosa dizia nem alterava a voz, nunca mudava a expressão suave com que o ouvia. Era sempre acolhedora. Concordava ou discordava dele de modo delicado. Espinosa achou-a bastante convincente naquele curto diálogo, embora isso não fosse uma garantia de que ela dizia a verdade. Comparada à fala pobre e tosca de Isaías, a de Princesa era rica, cheia de recursos. Ela sabia jogar com a ambiguidade para escapar de suas perguntas.

Espinosa suspeitava de duas coisas: a primeira era que Princesa não estava dormindo no momento em que o Estrangeiro morreu; ela era do tipo que, por uma questão até de sobrevivência, costumava estar atenta ao que acontecia à sua volta, portanto seria natural ter acordado com os barulhos mesmo que abafados do assassinato, com o arrastar do corpo até a marquise e depois com o saque. A segunda suspeita de Espinosa era que Princesa vira quem tinha levado a mala.

Dois dias depois, as consultas feitas e a divulgação da foto de Albert Domínguez na internet ainda não tinham resultado em nada. Eliminadas as informações fantasiosas e delirantes, foram localizados quatro Albert Domínguez e vários Alberto Domingos, porém a descrição e os dados pessoais de todos eles não correspondiam ao cadáver que jazia no Instituto Médico Legal. Espinosa diminuíra a frequência das conversas com Princesa, embora tivesse passado algumas vezes pela calçada oposta e por duas vezes não a vira sentada sob a marquise. Também não vira mais Isaías. Deixou Welber e Ramiro encarregados do prosseguimento das investigações.

A morte do Estrangeiro completara um mês. Os jornais já tinham esquecido o crime. A delegacia de Homicídios não se manifestara mais.

6

A quinta-feira tinha amanhecido quente e úmida. Espinosa estava saindo para almoçar, quando a recepcionista o avisou de que havia uma senhora no balcão de atendimento querendo falar com o delegado sobre uma nota postada no Facebook junto com a foto de um homem morto em Copacabana.

A senhora não era tão senhora assim, mas uma mulher de cerca de quarenta anos, bonita, de cabelos pretos e olhos castanho-escuros. Espinosa, que a recebera na porta de seu gabinete, fez um gesto convidando-a a entrar.

— A senhora veio por causa da foto do Albert Domínguez que circulou na internet?

— Albert Domínguez? Não, vim por causa do meu irmão Artur — disse a mulher, um tanto surpresa.

— O que houve com seu irmão?

— É o homem da foto que apareceu na internet.

— Ah, me desculpe. Como é o seu nome?

— Laura Clemente. O nome do meu irmão é Artur Clemente — disse ela abrindo a bolsa e entregando a carteira de identidade ao delegado.

— Por favor, senhora Clemente, sente-se aqui. — Espinosa apontou-lhe uma cadeira enquanto dava a volta na mesa e retirava da gaveta uma cópia da fotografia do Estrangeiro.

— É este o seu irmão? — perguntou.

— É ele!

— A senhora tem certeza?

— É o meu irmão. Tenho certeza absoluta. O que aconteceu com ele?

— Foi morto.

— Morto... — Não foi uma pergunta nem uma exclamação, mas apenas a comprovação de uma suspeita.

Ela ficou olhando para a foto como se esperasse encontrar algum sinal que contrariasse a evidência de sua morte. Não chorou, não fungou, não se desesperou.

— Sinto muito — disse Espinosa.

— Tudo bem. Acho que, quando decidi vir até aqui, no fundo eu já sabia que ele estava morto.

— Por quê?

— Há dois meses, ele me telefonou dizendo que ia viajar e que pretendia ficar um mês fora. Ficou de me ligar assim que chegasse. Só que um mês se passou, depois outro, e Artur não ligou. Foi quando me disseram que numa dessas redes sociais havia a foto de um homem que parecia ser o Artur, com uma nota de uma delegacia aqui do Rio.

— A senhora é de onde?

— De São Paulo. É que eu não costumo usar a internet, não participo de nenhuma rede social, por isso demorei para ver a foto e entrar em contato. Decidi pegar um avião para cá porque me dei conta de que uma delegacia de polícia não ia divulgar um comunicado desses se ele não estivesse morto. Como foi que o Artur morreu?

— Foi durante a madrugada, na avenida Copacabana, a duas quadras daqui. Pode ter sido um assalto.

Espinosa evitou entrar em detalhes e ela não perguntou mais nada.

— A senhora tem parentes aqui no Rio?

— Meus pais moram em Campinas. Agora nossa família ficou reduzida a mim e a meus pais.

— Sei que é doloroso, mas na ausência de outro parente preciso lhe pedir que a senhora faça o reconhecimento do corpo no Instituto Médico Legal, para que ele possa ser liberado. Se quiser, eu a acompanho. Não é uma coisa que a senhora deva fazer sozinha.

— É verdade, eu não conseguiria ir sozinha. Obrigada.

— Onde a senhora está hospedada?

— No hotel Ouro Verde, na avenida Atlântica. Foi o mais próximo da delegacia que encontrei. Não conheço hotéis em Copacabana.

— Podemos ir até o IML agora?

— Não adianta adiar...

— A senhora trouxe algum documento do seu irmão?

— Meu irmão não é brasileiro. Ele nasceu nos Estados Unidos. Eu trouxe uma cópia da certidão de nascimento dele autenticada pelo consulado americano e uma cópia do documento de identidade. Meus pais trabalhavam na Unicamp, e meu irmão nasceu quando eles faziam pós-graduação na Califórnia. Ele estava sem documentos?

— Provavelmente todos os pertences dele foram roubados, inclusive a mala.

A existência de uma mala roubada não era um fato comprovado, a vítima podia tê-la deixado em outro lugar. A polícia havia encontrado apenas o bilhete aéreo e o recibo da bagagem, mas Espinosa decidiu mencionar a mala à irmã para ver qual a sua reação. Não houve nenhuma.

Durante o trajeto de táxi até o IML, no centro da cidade, Espinosa obteve algumas informações sobre o morto. Ficou sabendo que ele trabalhava como agenciador de importações e exportações. A irmã não soube dizer para onde ele tinha viajado; e repetiu que não sabia que ele tinha voltado e que estava no Rio de Janeiro.

— Ele passa o tempo todo viajando pelo Brasil e pelo exterior. Antes Artur ainda me avisava quando ia viajar, mas depois passou a viajar tanto que parou de avisar. Quando eu queria falar com ele, deixava recado na recepção do flat onde ele mora.

— Em São Paulo?

— É, nos Jardins, não muito longe de mim, mas nos vemos pouco. Uma vez ou outra almoçamos ou jantamos juntos. É quando dou notícias dos nossos pais e conversamos sobre o que estamos fazendo... Quer dizer, eu falo sobre o meu trabalho e ele escuta. Diz que não tem muito o que contar sobre suas viagens, que são viagens de negócios... O senhor vê que ainda estou falando dele no presente.

No IML, Espinosa fez o que pôde para que tudo fosse o mais rápido e o menos traumático possível, mas não havia como evitar a exposição do cadáver para a identificação. Laura Clemente portou-se de modo surpreendentemente controlado. Assinou o auto de reconhecimento, e o próprio Espinosa assinou a guia de transporte do féretro para o traslado para São Paulo. Apesar do esforço de Espinosa, não conseguiram sair de lá antes das três da tarde.

Tomaram um táxi. Espinosa disse que acompanharia Laura Clemente até o hotel dela.

— Por que fizeram isso com ele? Para roubá-lo?

— É o mais provável.

— Por que *o mais provável*? Pode haver outra razão?

— Não sabemos se quem matou seu irmão foi também quem roubou os pertences dele.

— E por que não seria?

— Havia alguns sem-teto dormindo sob a marquise do prédio em frente ao qual seu irmão foi atacado. Eles podem ter presenciado a agressão e, quando viram que a vítima estava morta, saqueado suas coisas. O assassino pode ter levado apenas a mala. Mas também pode ter acontecido o contrário: o assassino ter roubado, por exemplo, carteira, relógio, celular, coisas fáceis de carregar, e os sem-teto terem ficado com a mala.

Laura e Espinosa despediram-se na porta do hotel Ouro Verde e marcaram um novo encontro às dez horas do dia seguinte, ali mesmo no hotel.

Eram três e quarenta. Espinosa voltou a pé para a delegacia. A tarde estava amena e ele aproveitou a caminhada para pensar em Laura Clemente e em seu enigmático irmão.

Ao chegar à rua Hilário de Gouveia, em vez de ir para o prédio da 12ª DP o delegado atravessou a rua e entrou no restaurante em frente. Estava até aquela hora apenas com o café da manhã. Pediu um sanduíche e um chope e escolheu uma das várias mesas vazias, sempre pensando nos irmãos Clemente. Por que o apartamento de temporada fora alugado em nome de Albert Domínguez? As impressões digitais da vítima coincidiam com as que constavam na cópia do documento de identidade americano de Artur Clemente apresentado pela irmã. Espinosa terminou seu lanche e atravessou a rua em direção à delegacia.

O delegado já dispunha das impressões digitais informatizadas da vítima, o que facilitava enormemente as investigações. A primeira providência naquele final de tarde foi chamar Welber e encarregá-lo de enviar a cópia digitalizada para o consulado americano, acompanhada da foto e dos nomes Albert Domínguez ou Artur Clemente, natural de Berkeley, Califórnia.

Espinosa encontrou Laura Clemente no saguão do hotel. Parecia descansada, menos tensa e com um sorriso que até ali estivera ausente de seu rosto. Ocuparam duas poltronas afastadas do movimento da recepção.

— Eu gostaria de saber por que seu irmão alugou um apartamento aqui no Rio em nome de Albert Domínguez — disse Espinosa.

— Eu não sabia que ele tinha alugado um apartamento aqui nem que tinha usado um nome falso. Não imagino por que ele possa ter feito isso.

— Provavelmente para se proteger. Não sabemos se a finalidade do crime foi roubar seu irmão ou matá-lo.

— Por que iam querer matá-lo?

— É o que estamos tentando descobrir. Ele tinha alguma atividade clandestina? A senhora disse que ele trabalhava agenciando importações e exportações. Poderia ser uma fachada legal para uma atividade ilegal.

— Atividade ilegal?

— Contrabando, tráfico, comércio ilícito de obras de arte... Pode ser muita coisa.

— Meu irmão não era bandido.

— Mas pode ter se envolvido com bandidos.

A conversa ocorria no saguão envidraçado do hotel Ouro Verde, com vista para a praia de Copacabana. Com o azul do céu e o verde do mar, o cenário externo não combinava com o tema da conversa: como se um roteirista invisível devesse optar entre mudar a história ou mudar o cenário.

Ao voltar à delegacia, ainda na quadra do hotel, Espinosa viu do outro lado do calçadão, sentado num dos bancos de pedra, o homem que o seguira no dia seguinte ao do crime. Parecia tranquilo, apreciando o mar. O fato é que ele não podia ser acusado de nada.

Welber e Ramiro não estavam na delegacia. Espinosa ligou para o celular de Welber.

— Pronto, delegado.

— Onde vocês estão?

— Estamos percorrendo os locais mais frequentados pelos sem-teto aqui em Copacabana. Estamos a umas cinco quadras da delegacia.

— Acabei de ver o homem que estava me seguindo um dia depois do assassinato do Estrangeiro, lembra? Ele está sentado num banco da praia quase em frente ao hotel Ouro Verde. Caso ele ainda esteja lá, vejam se ele estabelece algum contato com alguém.

A caminho de casa, no final da tarde Espinosa passou pela galeria Menescal para se abastecer de quibes e esfirras. O prazer de ter se reapropriado de seu apartamento, com sua cadeira de balanço, livros, móveis e todos os seus objetos ali com ele, era indescritível. Abriu o embrulho de salgados, pegou uma garrafa de cerveja na geladeira e escolheu o policial *Continental Op*, de Dashiell Hammett, para comemorar mais uma vez a nova etapa de vida em seu apartamento reformado depois de quarenta anos.

Terminado o lanche, Espinosa passou para o computador as anotações que fizera depois de seu encontro com Laura Clemente no hotel. A irmã da vítima era um enigma para ele. Surgira na porta de seu gabinete, vinda de outro estado, movida por uma foto do irmão que encontrara na internet, sem saber que ele tinha sido assassinado havia um mês. Depois, sua única preocupação passara a ser o traslado urgente do corpo. Outra figura enigmática era Princesa. Duas esfinges, dois caminhos. Sem contar a própria vítima, cuja identidade fora determinada com os documentos trazidos pela irmã, mas cuja atividade profissional ainda era um mistério.

Pegou o celular e ligou para Welber.

— Pronto, delegado.

— Encontraram o homem?

— Não estava mais no local, delegado. Agora estamos indo ver a Princesa. Falamos com alguns sem-teto da área.

— Quando chegarem lá, vejam se há algum orelhão perto de onde a vítima foi atacada.

Dez minutos depois, Welber ligou.

— Delegado, nenhum orelhão.

— Então, se ele telefonou para alguém em busca da senha do porteiro eletrônico, só pode ter usado um celular. Procurem algum sem-teto que esteja com um celular. Vou ligar para a irmã dele e perguntar o número. Será uma forma de vocês identificarem o aparelho. E não se esqueçam da mala.

Welber e Ramiro confirmaram com seguranças, porteiros e moradores de rua que os sem-teto que estavam próximos a Princesa na noite do crime eram, no máximo, três.

7

Na manhã seguinte, Espinosa recebeu um telefonema de Laura Clemente avisando que o traslado do corpo do irmão seria realizado naquela tarde e que, por causa das circunstâncias do óbito, o corpo precisava ser transportado na companhia de um parente.

— Claro que você deve acompanhar o corpo, mas lembre-se de que no decorrer do inquérito eu vou precisar entrar em contato com você de novo. Talvez eu precise de alguns contatos e de outras informações. Mas agora do que eu preciso é do número do celular do seu irmão. Vai ser útil para localizar o sem-teto que pode ter saqueado o corpo.

Laura passou o número do celular do irmão.

— Se precisar de mim, delegado, é só ligar. Ainda fico no Rio por mais uma hora, uma hora e meia.

No início da noite, Laura ligou novamente para dizer que o traslado havia transcorrido sem problemas, que seus pais tinham ido esperá-la no aeroporto e que a família optara pela cremação, que seria feita no dia seguinte.

Quase meia-noite, Espinosa recebeu outro telefonema, dessa vez de Welber.

— Delegado, más notícias. Voltamos hoje ao lugar onde a Princesa fica, esperando encontrar algum dos sem-teto, mas de novo ela estava sozinha e de novo estava dormindo. Já estávamos indo embora, quando recebi uma ligação da delegacia no meu celular informando que o garagista de um prédio próximo tinha encontrado um sem-teto morto no estacionamento. O estacionamento é o mesmo onde a Princesa vai para usar o banheiro.

— Como ele morreu?

— Esfaqueado. E parece que foi torturado antes de ser morto.

— Onde você está?

— Estou no local, no estacionamento; Ramiro está conversando com o garagista que encontrou o corpo.

— Estou indo para aí.

Quando Espinosa chegou, havia apenas uma viatura da PM. O delegado encontrou Welber no estacionamento, um grande pátio formado pelas áreas internas de três prédios. A vítima estava de bruços. Tinha uma perfuração profunda nas costas e várias perfurações superficiais no pescoço, na lateral direita do abdome e nos braços.

— Verificou os bolsos?

— Verifiquei. Encontrei um celular, que obviamente não é dele. Encontrei também algum dinheiro, uns cento e poucos reais. Ninguém aqui viu nem ouviu nada.

— Ele estava sozinho?

— Parece que sim, ninguém viu outro sem-teto nas redondezas.

Espinosa pegou o celular que estava com o sem-teto e ligou o aparelho; tirou seu próprio celular do bolso e digitou um número. O celular do sem-teto tocou fracamente, a bateria estava quase no fim.

— O telefone do Estrangeiro — explicou Espinosa para um Welber surpreso. — Peguei o número com a irmã dele. — Eu já tinha ligado várias vezes, mas caía sempre na caixa postal. Provavelmente a bateria estava acabando, o Estrangeiro não tinha carregador e desligou o aparelho. Mandei várias mensagens para o celular dele.

Uma coisa parecia certa para Espinosa: o sem-teto fora localizado pelo assassino porque estava com o celular do

Estrangeiro. Se tivesse sido ele, Espinosa, o primeiro a conseguir fazer contato com o sem-teto, a esta altura ele provavelmente estaria detido para investigação e não morto. Achava também que o fato de ele estar com o celular da vítima não fazia dele o assassino do Estrangeiro. Talvez fosse um dos saqueadores.

Não havia câmeras de vigilância no estacionamento onde o sem-teto fora atacado. Ramiro voltou da sua busca por testemunhas. Ninguém tinha visto nada mesmo. A situação era semelhante à de um mês antes, quando Artur Clemente fora assassinado. A diferença era que agora a vítima era o sem-teto.

— O mesmo estilo de morte do Estrangeiro — disse Welber.

— Não sei se o mesmo estilo ou a mesma arma — retrucou Espinosa.

— O senhor acha que pode não ter sido o mesmo assassino?

— Quem sabe o sem-teto testemunhou o assassinato de Artur e depois saqueou o corpo... Por isso estava com o celular.

Espinosa mandou que seus dois auxiliares tentassem obter mais alguma informação do garagista e dos porteiros dos prédios que compunham o pátio interno. Enquanto isso ele procuraria obter alguma coisa com Princesa. Virou a esquina e, para sua surpresa, encontrou Princesa acordada.

— Olá, Princesa. Parece que o crime manteve você acordada.

— Crime?

— Um morador de rua, talvez um colega seu, foi encontrado desacordado no estacionamento aqui ao lado. Chamaram a ambulância, mas não havia mais nada a fazer: ele já estava morto.

— Eu não sabia... Acordei com a sirene da ambulância. Por que você disse que ele talvez fosse meu colega?

— Porque é um morador de rua como você. Ele estava com o celular do estrangeiro morto aqui na calçada.

— Ele pode ter achado o celular.
— E achou mesmo... no bolso do estrangeiro morto.
— Delegado...
— Princesa, preciso que você me conte o que viu.
— Mas eu não saí daqui. Estava dormindo.
— E quando estava acordada? Você não viu esse sem-teto passar por aqui?
— Como eu posso saber? Não conheço ele.
— Como você sabe que não conhece ele? Você viu alguém passando por aqui? E alguém acompanhado de outra pessoa? Alguém parou para falar com você?
— Delegado, você está me deixando tonta com todas essas perguntas...
— Então vou repetir...
— Não é preciso. Eu não vi nenhum morador de rua passar por aqui, não vi ninguém, nem acompanhado nem desacompanhado. E ninguém parou para falar comigo.
— Princesa, já é madrugada, você deve estar com sono. Amanhã volto para conversarmos.

Passava de uma hora. Espinosa e Welber moravam em Copacabana, perto dali, mas Ramiro morava no Grajaú, na Zona Norte da cidade, e precisava pegar duas conduções para chegar em casa.

— A Homicídios e a Perícia já estão aqui — disse Espinosa, vamos deixar que façam o trabalho deles. Amanhã de manhã retomamos o nosso. Ramiro, verifique se alguma cena do crime pode ter sido registrada por alguma câmera na vizinhança. Welber, venha comigo. Vamos conversar de novo com o garagista que encontrou o corpo no estacionamento.

A verificação que Ramiro fez nas câmeras de segurança dos prédios vizinhos não deu em nada. Elas transmitiam toda a movimentação externa, mas não gravavam as imagens; além disso, nenhuma cobria o local do crime, que era uma área interna. Só quem estivesse numa janela dos fundos de algum dos três prédios que compunham o pátio de estacionamento poderia ter visto alguma coisa. Ninguém, entretanto, se apresentou como testemunha do crime.

Porteiros, faxineiros e seguranças sabiam afirmar se havia algum sem-teto dormindo sob uma marquise próxima de onde trabalhavam, mas não se diziam capazes de reconhecê-los. Os sem-teto eram pessoas invisíveis ao olhar das demais pessoas. Não tinham rosto, não tinham características físicas singulares, não tinham sexo, podiam ser homens ou mulheres. Enquanto ocupavam as marquises à noite, eram indiscerníveis.

Eram dez e meia da manhã e chovia fino. O humor de Espinosa não estava dos melhores. Quando chegou à delegacia, encontrou uma mensagem da Interpol, em resposta a uma consulta feita por Welber e Ramiro, comunicando que as impressões digitais enviadas pela 12ª DP do Rio de Janeiro não coincidiam com as do cidadão americano Artur Clemente, morto em decorrência de um acidente de carro em 2001, nos arredores de Los Angeles, com trinta e dois anos.

Espinosa pensou na possibilidade de uma coincidência de nomes. Se as impressões digitais não batiam, era porque o acidentado de Los Angeles e o assassinado de Copacabana não eram a mesma pessoa; um intervalo de dez anos separava a morte dos dois. A não ser que o segundo Artur Clemente tivesse se apropriado da identidade do primeiro. Espinosa decidiu ligar para Laura Clemente.

— Sapataria Augusta, bom dia.

— Bom dia. Dona Laura está?

— Dona Laura?

— Laura Clemente.

— Não tem ninguém com esse nome aqui.

Espinosa confirmou o número. Em seguida ligou para o número de celular que ela havia lhe dado. A mulher que atendeu disse que o celular era dela e que não conhecia nenhuma Laura Clemente. Espinosa procurou pela internet o telefone do endereço que ela lhe fornecera. O endereço era de uma agência dos Correios.

Telefonou para o departamento de pessoal da Universidade de Campinas, identificou-se e perguntou se havia na universidade um professor de sobrenome Clemente, provavelmente próximo da aposentadoria ou que tivesse se aposentado nos últimos dois ou três anos. Não sabia dizer a qual departamento o professor pertencia. A verificação foi rápida: o sistema de informatização possibilitava localizar o nome de qualquer professor por ordem alfabética, inclusive os aposentados que ainda recebiam seus proventos. Havia três professores com sobrenome Clemente, os três do sexo masculino e de departamentos diferentes, o mais velho com cinquenta e dois anos. Ou seja, nenhum deles podia ser pai de Artur Clemente.

Espinosa desligou o telefone com a desagradável impressão de ter sido enganado por Laura Clemente, que com toda certeza não se chamava Laura Clemente nem era irmã de Artur Clemente, o qual, por fim, não era Artur Clemente. E não se tratava apenas de nomes falsos. A verdade é que nada na história da tal Laura Clemente era autêntico: Laura, Artur, os pais deles professores universitários, a pós-graduação em Berkeley, a gravidez e o nascimento do filho nos Estados Unidos, São Paulo, Campinas, os documentos de Artur Clemente com o selo do governo americano, a transcrição feita na embaixada e autenticada com o selo da embaixada, os documentos da própria Laura...

8

Ainda era praticamente começo de noite quando Isaías trancou o cadeado que protegia a porta dupla do tapume da obra. Ficava mais tranquilo quando contava com seus cachorros para manter afastados possíveis invasores, mas agora era obrigado a confiar no cadeado e na eficácia da notícia que tinha espalhado: que guardara no congelador as sobras de bolas de carne envenenada da matança dos cachorros, para enfiar goela abaixo do primeiro que pusesse os pés dentro daquele terreno sem sua autorização.

Pendurada no ombro, Isaías levava uma sacola com as roupas que conseguira para Princesa no abrigo. Difícil tinha sido encontrar roupas do tamanho dela, mas estava contente por ter achado uma capa impermeável que também iria servir de agasalho contra o frio da noite. A notícia da morte do morador de rua tinha se espalhado e afastado outros sem-teto da área. Só restara Princesa, sobrevivente isolada e um alvo e tanto para quem pretendesse atingi-la. Ainda não eram oito da noite quando Isaías avistou de longe a figura da amiga sentada na calçada em seu lugar de sempre. Toda vez que deixava seu posto de vigia para visitá-la, uma expectativa ansiosa tomava conta dele e depois dava lugar a uma alegria juvenil ao vê-la sentada placidamente sob o abrigo. Costumava se aproximar de mansinho, para que ela só percebesse sua chegada quando estivesse a ponto de tocá-la.

— Isaías! Você veio me ver.

— Trouxe umas roupas — ele disse, tirando as roupas

da sacola e estendendo contra o próprio corpo para que ela apreciasse melhor suas escolhas. Deixou a capa impermeável por último. — Você vai ficar linda nesta capa, e não vai mais se molhar quando chover.

Os olhos de Princesa brilhavam alegres a cada peça exposta.

— Isaías, você é um amor. Muito obrigada.

— Eu não comprei nada disso, Princesa, consegui tudo no abrigo — contou, embaraçado.

— Eu sei, e para mim é como se você tivesse comprado na melhor loja de Copacabana.

Enquanto ela admirava as roupas, Isaías olhou para os lados e constatou que não havia outros sem-teto naquele trecho da calçada nem nas calçadas vizinhas.

— Princesa, você soube o que aconteceu com um daqueles sem-teto que às vezes dormiam aqui perto de você?

— Eu soube que um sem-teto foi morto, mas não sei se era dos que dormiam aqui.

— Tanto faz. O que importa é que mataram ele. Parece que foram várias facadas.

— Eu não sou igual a eles.

— E daí, Princesa? Eles estão chegando perto.

— Eles quem?

— Quem está matando.

— E o que eu posso fazer?

— Pode sumir por uns tempos... Até tudo ficar mais calmo.

— Não adianta. Você viu o que aconteceu quando eu fui para a Cinelândia. Um bandido magricela, dono do ponto, chegou e disse que eu era caguete e que ia me cortar em fatias. Depois veio uma bêbada maluca e bateu em mim. Prefiro ficar aqui mesmo.

— Mas foi aqui que mataram um dos moradores — insistiu Isaías. — O que aconteceu com os outros que sobraram? Quantos eram no total? Dois, três?

— Acho que eram três.

— Se eram três, sobraram dois e... — disse Isaías.

Princesa olhou para ele, esperando Isaías continuar.

— E o que eu tenho com isso? — indagou, vendo-o calado.

— Eles podem estar pensando a mesma coisa que o magricela da Cinelândia pensou.

— O que eu posso fazer?

— Uma vez você me disse que tinha família numa cidade do Sul. Por que não vai para lá? Não para sempre, só por um mês ou dois, até as coisas se acalmarem por aqui. Aí você volta. Não deixo ninguém tomar o seu lugar.

— Minha família mora muito longe. De ônibus são dois dias de viagem e tenho que comprar duas poltronas só para mim. Onde vou arranjar dinheiro? Minhas pernas não alcançam o chão, ficam inchadas. Tenho dificuldade para dormir. Eu sofro muito durante a viagem.

— Eu te ajudo a comprar as passagens... Levo você até a rodoviária... O que não pode é você ficar aqui dia e noite esperando que alguém venha te matar.

— E por que você acha que vão me matar?

— Porque estão chegando perto. Primeiro mataram aquele homem bem aqui na sua frente, depois vieram os policiais com aquele delegado, agora mataram esse morador de rua bem aqui ao lado também... Será que você não vê que eles estão chegando cada vez mais perto?

— Isaías, enquanto eu estiver dormindo eles não vão poder fazer nada comigo.

— Por que não?

— Porque eles não podem entrar no meu sonho pra me matar. Toda vez que eu acho que alguma coisa ruim vai acontecer, eu durmo e vou para outro lugar, um lugar onde acontecem outras coisas.

Isaías ficou olhando espantado para Princesa, sem saber direito o que dizer, mesmo porque achava que ela tinha razão, por mais estranho que fosse o que acabava de ouvir.

— E você, está se cuidando? — perguntou Princesa.

— Espalhei para todo mundo que eu tinha guardado o que sobrou da carne envenenada que jogaram pros meus cachorros e que vou dar pro primeiro que pular aquele tapume.

— E você vai mesmo fazer isso?

— Se for alguém entrando pra me matar...

— E como você vai saber?

— Eu sei.

— E se você estiver dormindo?

— Eu vou acordar.

Isaías foi embora pensando em Princesa e na alegria com que ela recebera as roupas que ele levara. Sabia muito pouco sobre ela. Princesa quase não falava de si mesma e Isaías pouco perguntava. Pensando na amiga, não percebeu o homem que o seguia de longe durante todo o trajeto até a obra. Antes de destrancar o cadeado, olhou em torno, como fazia sempre, mas não viu ninguém.

Sábado. Espinosa acordou com as pernas de Irene por cima das suas. A fresta de luz que passava pelo canto da persiana era suficiente para delinear o corpo nu atravessado na cama. Espinosa procurou não perturbar a cena, mas Irene se encarregou de transformar a contemplação em ação e enroscou-se no companheiro, o que adiou em pelo menos uma hora o café da manhã e a caminhada pela praia combinada na véspera. Estavam inaugurando o apartamento pós-reforma e não tinham nenhuma pressa em sair da cama nem de casa. Tinham uma vaga ideia de que horas eram e uma leve expectativa de como estaria o tempo lá fora. Quando saíram da cama, a manhã já estava quase cedendo lugar à tarde.

Estavam no meio do café, quando Irene disse:

— Acho que vi a sua amiga Princesa.

— Só há uma maneira de ver a Princesa: é passando onde ela fica.

— Foi isso mesmo. Eu estava passando de táxi pela

avenida Copacabana, uma ou duas quadras antes do Copacabana Palace, quando vi uma mulher muito gorda sentada na calçada, debaixo de uma marquise, com as pernas esticadas para a frente.

— Era ela — disse Espinosa.

— Me deu pena ver aquela mulher ainda jovem, obesa, morando na rua, sem ninguém...

— Foi escolha dela. Ela não é uma miserável. Parece que tem família no Sul e que a família tem dinheiro.

— Então por que permitem que ela viva dessa maneira?

— Foi o que eu acabei de dizer. Foi escolha dela, e ela é maior de idade.

— Espinosa, ninguém faz uma escolha dessas a não ser por desespero.

— Ou por loucura — acrescentou Espinosa.

— E ela é louca?

— Parece meio delirante... Sua fala é articulada, com argumentação consistente, mas nem sempre o conteúdo corresponde à realidade.

— Então.

— Então o quê?

— Deve ter sido por desespero.

— Ela não parece desesperada. Pelo contrário, é uma pessoa tranquila, sorridente, ao falar olha para você com delicadeza...

— Eu poderia falar com ela. Quem sabe com uma mulher...

— Não é uma boa ideia — cortou Espinosa.

— Por que não?

— Porque as pessoas que se aproximam dela costumam morrer em seguida.

— Não brinca com isso, Espinosa.

— Não é brincadeira, dois já morreram... além dos seis cachorros.

— Que seis cachorros?

— Os seis cachorros que foram envenenados porque o dono deles deu uma carona para Princesa.

— Meu bem, essa sua história está um pouco confusa.

— É que ainda não acabei meu café.

— Isso tudo que está acontecendo é por causa da morte do homem que foi esfaqueado e que ninguém sabe quem é?

— Acredito que sim. Apesar de ele ter sido identificado por uma suposta irmã que veio de São Paulo por causa da nota que postei no Facebook junto com a foto dele.

— E quem era ele, afinal?

— Pois é. Esse é o problema. Ele não era irmão dela, assim como nem ela nem ele eram filhos dos pais de ambos, como ela informou. E antes que você pense que eu estou ficando maluco, vou contar a história da irmã para você.

Irene escutou atenta até o ponto em que a irmã levou o corpo para São Paulo.

— Eu sabia que tinha mulher bonita metida nessa história. Você sempre cai no conto da mulher bonita, sozinha e desamparada.

— O conto dela tinha documentos autenticados pela embaixada dos Estados Unidos com tradução autenticada pelo consulado em São Paulo, e ela própria trouxe documentos de identidade em que constavam os nomes do pai e da mãe, os mesmos que constavam nos documentos do irmão.

— Tudo falso?

— Parece. Ainda não tivemos confirmação.

— E ela?

— Sumiu depois de me dizer por telefone que o corpo do pseudoirmão havia sido cremado.

— E agora?

— Agora me resta a Princesa.

— E ela é confiável?

— Não acho que seja. Conversei com ela algumas vezes. Ela não é retardada nem psicótica, então é estranho que

— E os outros sem-teto?

— Não apareceram mais. Ouvi dizer que um deles foi morto. Mas isso o senhor já deve saber.

— Os dois que sobraram não são os que estão ali perto dela.

— Não. Aquela é uma família que veio para cá e agora não tem dinheiro para voltar para a terra deles.

Espinosa estava de pé conversando com o homem, cada um de um lado do balcão. O pão chegara havia pouco da padaria e o café acabara de ser feito. Viu quando a Princesa acordou, levantou-se aos poucos e saiu andando devagar até dobrar a esquina. Espinosa perguntou ao dono do bar:

— O senhor sabe onde Princesa faz as necessidades dela?

— Virando a esquina, tem um prédio com uma área interna que serve de estacionamento para os moradores. Nos fundos dessa área tem um banheiro. Os porteiros e garagistas deixam ela usar o banheiro.

— É o mesmo lugar onde o sem-teto foi encontrado morto. Esfaqueado.

— É o mesmo lugar.

— Muita coincidência — disse Espinosa.

— Ela também costuma usar o banheiro do posto de gasolina do canteiro central da avenida Atlântica, mas aí ela precisa atravessar uma das pistas.

O dia começava a clarear e o bar foi ficando cheio. Princesa demorou meia hora para voltar ao seu ponto sob a marquise, sentar-se e arrumar seu pequeno espaço. Espinosa pediu um café com leite duplo e dois pães com manteiga para viagem. Princesa sorriu ao ver o delegado se aproximar com o pacote, cujo conteúdo ela adivinhava.

— Bom dia, delegado Espinosa.

— Bom dia, Princesa. Trouxe seu café da manhã.

Princesa tinha recuperado a fisionomia dos primeiros encontros.

— Vejo que você está de roupa nova — observou Espinosa.

— Presente do meu namorado. E tem outras, tem até uma capa de chuva — disse ela, sorrindo.

— Belo presente.

— Ele se chama Isaías. Você conhece?

— Já conversamos uma vez. Parece uma boa pessoa.

— E é mesmo. Ele cuida de mim.

Enquanto falava, Princesa tentava pentear o cabelo. Em seguida, pegou o batom em uma das sacolas e pintou cuidadosamente os lábios. Para terminar, alisou o vestido com as mãos.

— Passei por aqui na semana passada e não te vi — disse Espinosa.

— É que eu fui ver o meu filho.

— Seu filho?! Você tem um filho?

— Tenho. O Vítor.

— Quantos anos ele tem?

— Cinco. Ele mora com os meus pais no Sul.

— E o pai dele?

— Foi meu colega de escola. Ele também era gordinho, e nós namoramos. Desde o tempo de escola que ele era meu namorado. Não era sempre, mas às vezes a gente namorava. Quando eu fiquei grávida do meu filho, ele viajou e nunca mais voltou. Ele é o pai do meu filho. Muito tempo depois eu conheci o Isaías e aí ele ficou sendo o meu namorado. Mas nós não temos filho.

— Então você viajou para ver o seu filho no Sul.

— Ele é branquinho, tem o cabelo louro, encaracolado, olhos azuis.

— Como um príncipe — disse Espinosa.

— Ele já está na escola. Está aprendendo a ler e a escrever.

— E você visita ele sempre?

— Sempre, não. É muito difícil eu sair daqui. No dia do meu aniversário e no dia do aniversário dele, meu pai e meu irmão vêm me buscar, e aí eu vejo meu filho. Você tem filho, delegado?

— Tenho. Ele também mora longe daqui.

Espinosa ficou pensando se o que a Princesa acabara de contar podia ser levado a sério ou se era uma fantasia. Princesa com um filho... Princesa tendo relações sexuais com um homem... Princesa grávida... Como? Onde? Com quem? Talvez há cinco ou seis anos Princesa não fosse tão gorda, ou não tanto a ponto de o ato sexual se tornar impraticável. Além do mais, ficara sem ver Princesa dois ou três dias, no máximo, tempo muito curto para ela ter ido ao Rio Grande do Sul ou Santa Catarina ver o filho e voltar. A não ser que tivesse viajado de avião, o que talvez estivesse ao alcance da família dela.

— Estava pensando no seu filho? — perguntou Princesa.

— Não, no seu.

— Mas você nem conhece o meu filho.

— Não conheço, mas você disse que ele tem cinco anos, é lourinho de cabelos cacheados e olhos azuis. Eu estava imaginando como ele é.

— É assim mesmo como você acabou de dizer.

Ocorreu a Espinosa que esse filho existia apenas na fala de Princesa, que era um filho feito de palavras.

— E então, Princesa, soube alguma coisa sobre a mala?

— Qual mala?

— A mala do homem que foi assassinado.

— Por que você está falando de um jeito diferente agora?

— Não estou falando de um jeito diferente, apenas mudei de assunto. Então, soube o que foi feito da mala?

— Eu já disse que não sei de mala nenhuma.

— Agora você é que está mudando o jeito de falar comigo.

— É que você vive me perguntando a mesma coisa.

— Está bem. Vamos fazer o seguinte: até você decidir falar alguma coisa que seja verdadeira, nossas conversas estão suspensas. Você vai passar a falar com os inspetores Welber e Ramiro. Eles não têm muita paciência com pessoas que não gostam de contar a verdade.

Espinosa já estava quase na esquina, quando deu meia-volta e voltou ao bar onde tomara café da manhã.

— Olá, delegado, mais um café?

— Um cafezinho, por favor. E gostaria também de tirar uma dúvida.

— Pois não, o senhor manda.

— Há quanto tempo você conhece a Princesa?

— Na verdade eu não sei quase nada sobre ela, mas ela é a dona do ponto há vários anos.

— Alguma vez você a viu com um bebê no colo?

— O senhor quer dizer um filho dela?

— É.

— Nunca vi, mas já ouvi dizer que ela teve um filho que a família levou para criar. Mas pode ser invencionice do povo. Já inventaram muita coisa sobre ela, até que ela é uma princesa de verdade que veio fugida da Europa. Mas, como eu disse, o pessoal inventa muita história. Mais um cafezinho?

— Não, obrigado.

Espinosa procurou no bolso dinheiro para pagar.

— Esse é por conta da casa, delegado. Volte sempre.

— Obrigado. Até a vista.

Espinosa chegou cedo à delegacia. A equipe de plantão se preparava para sair e o pessoal do turno regular ainda não chegara. Aproveitou para pôr em dia a burocracia atrasada.

PARTE II

9

— Segundo a Princesa — disse Espinosa para Welber e Ramiro —, na noite da morte do Estrangeiro havia dois ou três sem-teto debaixo da marquise antes de ela adormecer, mas quando foi acordada pelo PM, por volta das seis da manhã, não viu mais nenhum; estava sozinha. Vamos procurar os dois que sobraram, se eles eram três, ou o único que sobrou, se eram dois. Mas antes de ir a campo procurem a Princesa e conversem com ela. Perguntem onde eles podem estar. Peça o nome ou o apelido deles. Minhas conversas com ela estão ficando viciadas, talvez vocês tenham mais sucesso.

Apesar de serem conhecidos dela, os dois inspetores não foram recebidos por Princesa com a mesma atenção dispensada ao delegado Espinosa. Não houve nenhuma informação nova, ela simplesmente repetiu aos dois o que já dissera a Espinosa. E encerrou a conversa dizendo que queria falar com o delegado, que tinha algumas coisas a dizer a ele, mas só a ele.

Recebido o recado, Espinosa esperou a tarde do dia seguinte para ir até lá.

— Boa tarde, Princesa. Você queria falar comigo?

Princesa percebeu imediatamente que o tom de Espinosa havia mudado e procurou recuperar um pouco da atmosfera dos encontros anteriores.

— Quero mesmo. Prefiro que seja com você e não com eles.

— Se é que você tem realmente alguma coisa para me dizer.

— Tenho. Sobre aquela noite.

— Qual delas? — forçou Espinosa.

— A do homem que morreu esfaqueado aqui perto de mim.

Enquanto Espinosa se acomodava no degrau da calçada sem esperar que ela lhe oferecesse um pedaço de papelão, Princesa avaliava o que podia dizer a ele e o que havia mudado no delegado, além do modo de falar e de olhar para ela.

Espinosa esperou em silêncio.

— Eu vi algumas coisas naquela noite — começou Princesa. — Vi o táxi chegando e o homem descendo, vi o motorista abrindo o porta-malas do carro e tirando a mala preta com rodinhas. Também vi o homem tirando uma carteira e pagando o motorista. Vi o táxi ir embora e o homem ficar sozinho na calçada olhando para os prédios. Depois ele foi até a portaria daquele prédio ali. Não demorou muito, ele voltou para a beira da calçada e ficou olhando para cima, aí pegou o celular e falou com alguém, depois escreveu alguma coisa. Aí chegaram os dois homens.

Princesa não falava olhando para Espinosa como das outras vezes, mas olhando para a frente, como se estivesse revendo a cena à medida que a descrevia.

— Você viu o homem ser esfaqueado e cair no chão?

— Não. Vi só os homens puxando alguma coisa para debaixo da marquise do prédio ao lado. Estava escuro, não deu para ver direito o que era. O homem não estava mais na calçada. Achei que tinha ido embora. Aí só acordei de manhã cedo com o PM cutucando meu pé com a bota.

— Por que você não me falou nada disso antes?

— Porque eu ainda não tinha visto. Foi ontem que eu vi essas coisas acontecerem.

— Como ontem, se isso aconteceu há mais de um mês?

— Não. Aconteceu ontem. Foi ontem que eu vi tudo isso... E também algumas coisas que já esqueci.

— Você está me dizendo que o que acabou de me contar não aconteceu de verdade? Que foi tudo um sonho?

Que você não viu nada disso naquele dia, mas apenas sonhou isso ontem? — perguntou Espinosa, irritado.

— Mas no sonho eu vejo as coisas acontecerem — disse Princesa desconsolada.

— Todo mundo vê coisas no sonho, mas são coisas que não aconteceram de verdade. Se no sonho você vê uma pessoa morrer, isso não quer dizer que a pessoa morreu.

— Foi por isso que ninguém morreu no meu sonho. O homem desceu do táxi e depois desapareceu. No meu sonho ele não morreu. Vocês é que disseram que ele estava morto. Vai ver o que morreu foi outro homem, e não o que desceu do táxi com a mala.

— Princesa, você está brincando comigo?

— Não! Eu nunca falo brincando, é sempre verdade.

— Princesa, foi ontem que você dormiu e viu tudo isso que me contou?

— Você já me confundiu com essa história de sonho e de verdade. Eu sempre sonho de verdade. Não importa se eu sonhei ontem ou no mês passado. É verdade do mesmo jeito.

— E os outros sem-teto que estavam aqui embaixo da marquise? No seu sonho eles também desapareceram?

— Só depois que puxaram para a marquise aquela coisa que parecia um saco. Depois não vi mais eles. Nem quando acordei. Mas não tenho certeza se eram eles que estavam puxando aquele saco.

— Não passou pela sua cabeça que o saco pudesse ser o homem que chegou de táxi?

— Não. Estava escuro. Não dava para ver direito. Parecia um saco, então para mim era um saco.

— E tinha alguém mais vendo o que você estava vendo?

— Não. Só eu estava vendo. Quando eu sonho só eu vejo.

— E como você sabe quando está sonhando e quando está vendo de verdade como está me vendo agora?

— Sempre que eu estou vendo é de verdade.

Espinosa começou a pensar seriamente na hipótese de Princesa ser uma psicótica. Até então considerava-a um tipo fronteiriço, com uma conduta estranha e antissocial, mas de fala articulada e consistente. A fala com certeza era articulada, porém delirante.

— Você viu algum dos sem-teto que estavam aqui na marquise naquela noite?

— Eu não conheço nenhum deles. Vejo eles chegarem à noitinha e arrumarem o canto para dormir. Não demora muito, todos estão dormindo. Eles não conversam com ninguém.

— E você conversa com alguém da vizinhança?

— Converso com o Isaías. Converso também com alguns porteiros e garagistas que me ajudam.

À medida que falava, Princesa alisava o vestido e esticava a saia para ocultar as pernas. Assim que dava a tarefa por encerrada, reiniciava-a com redobrada meticulosidade, até sentir que tudo estava em ordem de novo. Não fazia isso de maneira nervosa, mas devagar, parecendo indiferente a tudo e com uma calma capaz de enervar qualquer observador. A maior dificuldade de Princesa eram as pernas e os pés. Ela não conseguia dobrar o corpo de modo a alcançar os pés e suas Havaianas. Como tampouco conseguia escondê-los sob o corpo, a única solução era ocultá-los debaixo de uma toalha ou de uma peça de roupa. Via-se que a presença de Espinosa a incomodava e ao mesmo tempo a encantava. Ela era a única pessoa das redondezas a quem o delegado Espinosa ia visitar “em casa”. O que intrigava Espinosa era o fato de Princesa viver havia tantos anos na rua sem jamais ter se tornado um alvo constante de ameaças e agressões dos próprios marginais que dividiam com ela as marquises de Copacabana e do Centro.

10

A dupla formada pelos inspetores Ramiro e Welber recebeu o reforço da dupla Paulo e Chaves na busca dos dois moradores de rua que, junto com Princesa, seriam as possíveis testemunhas do assassinato do Estrangeiro, mas as informações obtidas pelos quatro inspetores não se mostraram de grande valia. As indicações dadas pelos demais moradores de rua espalhados por Copacabana e pelo Centro, além de genéricas, eram díspares ou mesmo contraditórias; quando tentavam descrever os moradores de rua procurados, pareciam estar descrevendo a si próprios. Impossível localizar um sem-teto específico. Os inspetores acreditavam que, mesmo que se vissem frente a frente com eles, os outros não seriam capazes de identificá-los.

Ramiro propôs ao delegado Espinosa a suspensão da busca sistemática.

— Delegado, somos quatro percorrendo ruas da Zona Sul e do Centro, abrigos de entidades religiosas e abrigos da prefeitura, e a impressão que tenho é a de que nem que fôssemos quarenta ia adiantar.

— Então vocês não querem mesmo mais gente?

— É o que estou falando, delegado: não adianta. Mesmo que fosse possível cobrir toda a cidade e falar com todos os moradores de rua e todos os mendigos, acho que não ia adiantar nada. Não sabemos quem são nem como são os homens que estamos procurando, só podemos nos orientar pelo que os outros sem-teto e os mendigos dizem, e o que eles dizem é muito confuso. Cada um conta uma história diferente e aponta direções e características físicas diferentes. E acho que eles fazem isso até para nos agradar, porque eles mesmos não têm ideia de quem estamos procurando. Em suma, acho que estamos empenhados numa busca inútil.

Os quatro inspetores e Espinosa estavam reunidos no gabinete do delegado.

— Não há testemunhas de quantos sem-teto havia sob a marquise no momento do crime — lembrou Espinosa. — As pessoas que mencionaram ser dois ou três foram a Princesa, um porteiro e um segurança, e mesmo assim não se referiram a eles no episódio do ataque ao Estrangeiro, e sim como ocupantes ocasionais da mesma marquise que ela frequentava.

— O senhor acha que ela pode estar mentindo?

— Não. Acho que está dizendo a verdade. Cheguei à conclusão de que Princesa não é uma mentirosa, mas vive num mundo de sonho e fantasia.

— Isso significa que ela não pode nos ajudar em nada?

— Ela pode nos ajudar, mas cabe a nós separar, nas declarações dela, o que é sonho, o que é fantasia, o que é delírio e o que é real. Claro que quando ela me pede café e pão com manteiga, esse pedido corresponde a uma necessidade real, mas quando me conta sobre o filho de cinco anos que mora com os avós no Sul, não posso aceitar essa história como automaticamente verdadeira.

Espinosa olhou para cada inspetor como à espera de algum comentário.

— Vocês querem discutir mais alguma coisa?

Foi Ramiro quem falou novamente:

— Um dos informantes com quem falamos ontem disse que o cara que matou o sem-teto não é da área. O boato que corre é que foi trabalho de gente de fora, mas não sabem de quem. Se fosse trabalho de gente daqui, eles dizem que saberiam. Não é propriamente uma informação, é mais um comentário misturado com boato, mas acho que não deve ser desprezado.

— Tentem tirar mais alguma coisa desse informante. Procurem saber se *gente de fora* significa de fora da cidade, de fora do estado ou de fora do país — disse Espinosa.

— Nós perguntamos isso. O que eu entendi do que ele falou é que esse *gente de fora* significa apenas gente que não é daqui da cidade. O matador chegou, matou o morador de rua e desapareceu totalmente. Ninguém viu nada, ninguém ouviu nada, ninguém soube de nada, por isso corre o boato de que é *gente de fora.*

— Passem para o computador tudo o que anotaram das conversas com os sem-teto e os mendigos, na rua e nos abrigos. Vejam se os diferentes depoimentos têm algum nexo, se apontam para alguma outra direção.

Eram cinco da tarde quando o delegado Espinosa entrou na sala de reuniões da delegacia para comentar com toda a equipe o andamento das investigações, discutir estratégias, avaliar resultados de exames, tirar dúvidas, propor questões, incentivar pesquisas, tudo isso prestando a maior atenção ao que os inspetores e comissários diziam e com uma escuta quase clínica mesmo para as perguntas mais simples dos mais novos.

Estava escurecendo quando o delegado passou pela galeria Menescal para comprar quibes e esfirras no árabe. Mantinha o hábito de olhar as vitrines das lojas e os passantes que cruzavam com ele, registrando objetos, fisionomias, movimentos corporais e o ar das pessoas, compondo assim uma espécie de arquivo subjetivo. Notava, porém, que ultimamente essa memória visual vinha perdendo acuidade. Nada que ameaçasse o presente, mas que parecia sinalizar um futuro que ele esperava ainda fosse longínquo.

As notícias trazidas do IML na quarta-feira praticamente confirmaram as suposições de Espinosa. De fato, a necrópsia feita no sem-teto revelara um corpo condizente com um quase mendicante. As mãos e os pés com calosidades e deformações eram os de um trabalhador braçal mal alimentado; dentes cariados; alcoólatra; idade entre trinta e cinco e quarenta anos. Esses dados combinavam com a condição física de um morador de rua. Ninguém reclamara o corpo, o que queria dizer que, passado algum tempo, ele seria enterrado em uma cova rasa como indigente.

O restante do dia e todo o dia seguinte foram de espera. Na sexta-feira de manhã, Espinosa recebeu a primeira resposta às consultas feitas por Welber e Ramiro à Interpol. Bem, não propriamente uma resposta, mas novas perguntas que o escritório da Interpol no Rio dirigia a ele. Queriam saber por que o delegado Espinosa estava interessado na identidade dos portadores daquelas impressões digitais.

— Diga que meu interesse é descobrir a identidade de duas pessoas assassinadas, a fim de chegarmos ao responsável pelas mortes.

Quem fazia as consultas aos escritórios da Interpol no Brasil e no exterior era o inspetor Chaves, o melhor navegador de internet da delegacia. Espinosa conseguia enviar e receber e-mails com alguma desenvoltura, mas não sabia por quais caminhos chegar aos endereços que o interessavam, como tampouco sabia como superar os impasses que volta e meia surgiam na tela.

O inspetor Chaves saiu do gabinete e voltou minutos depois.

— Delegado, agora é a Polícia Federal que está querendo saber a que evento estão ligadas as digitais que enviamos. Eles perguntam muito e não informam quase nada.

— Pergunte se não querem mandar alguém até aqui para conversarmos.

No final da manhã Espinosa recebeu um telefonema do delegado Marcos, da Polícia Federal, perguntando se poderiam se encontrar às três da tarde na 12ª DP.

O delegado Marcos chegou acompanhado do delegado auxiliar Cristiano, e os dois foram recebidos por Espinosa na porta do gabinete. Feitas as apresentações de praxe, Espinosa perguntou se haveria algum inconveniente em os inspetores Ramiro e Welber participarem da reunião.

— Eles estão acompanhando a investigação desde o primeiro momento, além de serem pessoas da minha mais absoluta confiança.

— Inconveniente nenhum — respondeu o delegado Marcos.

Eram cinco dentro de um gabinete que não suportaria a presença de um sexto ocupante. Sentaram-se todos; pelo interfone Espinosa pediu café e água gelada e avisou que não queria ser interrompido. Repetiu o nome de cada um dos presentes e abriu a reunião perguntando o porquê do interesse da Polícia Federal no caso.

— Antes de responder — disse o delegado Marcos —, eu gostaria de ter certeza de que estamos nos referindo ao mesmo conjunto de fatos quando empregamos a palavra "caso".

— O nosso caso — respondeu Espinosa — diz respeito a um assassinato ocorrido há pouco mais de um mês, quando um homem foi esfaqueado na calçada da avenida Copacabana na madrugada de uma segunda-feira. Morreu na hora e seu corpo foi saqueado em seguida. No bolso dele, encontramos parte de um bilhete aéreo. Temos ainda um sem-teto morto três semanas depois, também esfaqueado. Ninguém viu nada, ninguém ouviu nada. Não há nenhum vestígio do assassino. Passados alguns dias, uma mulher que se apresentou como Laura Clemente e dizendo-se irmã do primeiro homem esfaqueado apareceu aqui na delegacia munida de certidão de nascimento fornecida pelo consulado americano em São Paulo, traduzida por um tradutor público e com todos os carimbos e selos necessários, e de uma cópia da carteira de identidade de Artur Clemente, filho de pais brasileiros e nascido no estado americano da Califórnia. Os documentos da mulher mostravam que seus pais, já idosos, eram os mesmos do morto. Ela trazia também uma procuração assinada por eles autorizando-a a efetuar o traslado do corpo do filho para

São Paulo, a fim de ser sepultado. Ele foi cremado. Em seguida, a irmã desapareceu. Seus endereços e telefones em São Paulo eram falsos, assim como, provavelmente, todos os documentos apresentados. Estamos falando do mesmo caso?

— Creio que sim — disse o delegado Marcos —, embora o nosso apresente algumas diferenças. As digitais do seu homem morto esfaqueado coincidem cem por cento com as que temos em nosso arquivos como pertencendo a Artur Clemente. No entanto ele não é americano, e sim nascido em Porto Rico; não consta que tivesse uma irmã. O seu outro homem morto a facada, o sem-teto, era brasileiro, morador de rua, e acreditamos que tenha participado do assalto a Artur. Não temos conhecimento de outros sem-teto.

— Nós também não — acrescentou Espinosa.

— Quanto à mulher, a suposta irmã do morto, nada sabemos sobre ela — concluiu o delegado Marcos com ar de dúvida.

— Veja bem, a existência dessa mulher não pode ser posta em dúvida — acrescentou Espinosa, firme. — Eu mesmo fui com ela ao IML para o reconhecimento do corpo e para que tratasse do traslado. A mulher existe, e as impressões digitais pertencem a ela. Tudo o mais pode ser falso. A pergunta que fica é: se ela não era irmã do morto, por que fazer o reconhecimento e o traslado do corpo para São Paulo? Por que se encarregar da cremação? Depois eu confirmei que a cerimônia de fato ocorreu. Qual o interesse dela no corpo? A suposição é que o sequestro e cremação do corpo ocorreram para evitar exames posteriores, como o de DNA, por exemplo, que permitiriam uma identificação efetiva.

— Como que para pôr um ponto final no assunto — acrescentou o delegado Marcos.

— Exatamente. Mas o senhor ainda não disse por que a Polícia Federal está acompanhando o caso.

— Porque há a possibilidade de esse homem ser o elemento de ligação do contrabando de armas para as favelas do Rio e de São Paulo que estamos procurando.

— E vocês conhecem a verdadeira identidade dele? — perguntou Espinosa.

— Ele adota vários nomes e nacionalidades diferentes. Parece que de fato tem cidadania americana, mas não por ter nascido na Califórnia, e sim em Porto Rico, nas Antilhas. Ele dispõe de cinco a dez passaportes diferentes. Fala, ou melhor, falava inglês, espanhol e português fluentemente, sem sotaque. Nunca o vimos nem conseguimos nos aproximar dele, não temos nenhuma foto, tudo o que sabemos é através de terceiros.

— Outra coisa que não sabemos é o que aconteceu com a mala — disse Espinosa.

— Mala? — perguntaram os dois delegados visitantes.

— É. Ele não carregava uma mala? — perguntou Espinosa. — Junto ao bilhete de embarque havia um tíquete de bagagem desacompanhada. Supomos que, como ele estava chegando de viagem, devia estar trazendo uma mala. Talvez tenha sido morto por não querer entregá-la. O fato é que não sabemos o que foi feito dela.

— Não sabíamos sobre a mala — disse o federal.

— Acreditamos que quando o Estrangeiro parou para telefonar para a pessoa que lhe daria a senha do porteiro eletrônico, deixou a mala de lado para anotar o telefone na palma da mão, e os sem-teto o atacaram; ele reagiu e foi morto. Por enquanto isso é pura suposição.

— Desculpe, delegado Espinosa, mas como lhe ocorreram todos esses detalhes?

— Eu imaginei.

Os federais ficaram olhando para Espinosa sem saber se deviam rir ou levá-lo a sério

— Delegado Espinosa, sempre ouvimos falar do senhor e dos seus métodos pouco ortodoxos, mas nunca imaginei que pudesse ser tão extraordinário... no sentido exato do termo. O senhor não viu nada e não encontrou testemunhas do crime. A única coisa que o senhor tem é um número escrito na palma da mão do morto e um pedaço de tíquete aéreo. A partir daí o senhor constrói imaginariamente o crime como se ele estivesse acontecendo diante dos seus olhos. Notável. Que tal, agora, o senhor nos oferecer esse café da cafeteira?

A partir desse momento, a reunião perdeu o formalismo inicial e a troca entre os policiais se tornou mais rica e detalhada. Cada parte pôs suas cartas na mesa sem preocupação de haver alguma carta escondida na manga da outra parte.

Os federais se comprometeram a utilizar os meios de que dispunham para encontrar Laura Clemente em São Paulo ou onde quer que ela estivesse, tendo como ponto de partida suas impressões digitais. Espinosa, por seu lado, disse que tentaria obter mais informações com Princesa, de quem falou longamente aos delegados Marcos e Cristiano. O encontro terminou depois das cinco da tarde, com troca de telefones e de e-mails de acesso restrito.

11

Manhã de sábado, Isaías tinha acabado de receber o pagamento da semana, quando o pagador estranhou a ausência dos cachorros. Como o pagador nunca fazia perguntas e raramente falava alguma coisa, Isaías contou da forma mais resumida e crua o que tinha acontecido.

— Você tem desafetos na área?

— Se eu tenho...

— ...desafetos, inimigos, você brigou com alguém?

— Não, senhor. Eu não gosto de brigar. Também não gosto de discutir.

— Pode ser. Mas aqui não tem nada para roubar. Quem fez isso fez para atingir você, e não para roubar. Foi uma espécie de recado.

O homem foi embora e Isaías ficou pensando que tinha sido bom o homem falar na coisa do recado. Ainda bem que não havia perguntado nada sobre a Princesa. O homem podia pensar que era alguma briga por causa de mulher, podia pensar que ele estava trazendo mulher ali pra dentro e que alguém com ciúme dela tinha matado os cachorros dele. Essa história de mulher ali até que podia ser, mas não com a Princesa. Era preciso não conhecer a Princesa para pensar uma coisa dessas. Nunca tinha pensado em levar Princesa para o quartinho onde ele dormia. Princesa não era como as mulheres das redondezas com quem ele tinha transado. Essas ele levava para a obra, mas nunca tinha pensado em fazer isso com a Princesa. Quer dizer, pensado ele tinha, mas não para fazer nada de verdade, era só na imaginação. Princesa sem roupa... Mas era só pensamento, não era de verdade. Tinha o maior respeito por ela. E ainda tinha aquela história do filho dela, mas isso foi quando ele ainda não conhecia a Princesa. Ele nunca tinha visto o filho, os pais da Princesa tinham levado o bebê para cuidar dele, porque ela não podia cuidar de um bebê morando na rua. E os pais nunca trouxeram o menino depois que ele cresceu, para mostrar. Se ela teve um filho, foi porque transou com alguém, mas ninguém sabia com quem. Ela nunca tinha falado sobre isso.

Isaías visitava a Princesa quase todas as noites. Preferia ir à noite porque assim dava uma olhada em quem estava dormindo debaixo da marquise e ficava sabendo quem podia fazer algum mal a ela. Desde a morte do morador de rua, Isaías não ia dormir sem antes passar em revista os ocupantes da marquise da Princesa. O tamanho dele impunha respeito e afastava eventuais tentativas de molestamento. Às vezes eles ficavam sentados conversando e ele adormecia encostado na parede do prédio. Acordava no meio da madrugada e ia terminar de dormir em seu quartinho na obra.

Sábado à tarde e domingo todo era a folga dele, podia sair ou ficar na obra sem fazer nada. Nos outros dias também não tinha nada para fazer, mas tinha obrigação de ficar tomando conta do terreno e do esqueleto do prédio. Era um trabalho monótono, que só exigia atenção contra possíveis invasores. A firma que o contratara lhe dava uma ajuda-alimentação suficiente para ele fazer uma refeição por dia e comprar pão, café e leite para um lanche à noite.

Era sábado, quando ele podia estar com Princesa à tarde, pois de manhã ela costumava tomar um banho completo no banheiro do pátio interno do prédio vizinho. Quando a encontrava à tarde, ela estava de banho tomado, vestido trocado, cabelo penteado e batom. Uma imagem que lembrava a ele sua infância, embora não soubesse dizer exatamente por quê. À tarde, a marquise ficava livre dos sem-teto, que só voltavam ao anoitecer.

Princesa insistia em não conversar sobre nada ligado à morte do homem esfaqueado e saqueado. Os dois já haviam falado tudo o que um e outro tinham a falar sobre o crime e combinado só voltar ao assunto quando a história tivesse se acalmado. Assim, o tema das conversas de Isaías com Princesa eram assuntos anteriores ao episódio ou os novos acontecimentos do bairro.

— Você não vai arranjar outro cachorro para te ajudar a tomar conta da obra? Não precisa ser um monte, um já está bom.

— Quando é só um, a gente se apega demais; quando são muitos o sentimento se espalha.

— É como filho — disse Princesa. — Quando é só um, a gente fica o tempo todo pensando nele.

— Deve ser. Eu nunca tive filho e também não me lembro de como era ser filho, de modo que não posso falar nada sobre isso. Cachorro eu sei como é. Mas, como você disse sobre o outro assunto, é melhor esperar a lembrança acalmar.

Como era sábado e tinha ido visitar Princesa, Isaías trocara a Havaianas por uma alpargata de couro comprada na feira de São Cristóvão, embora conservasse a bermuda; a outra novidade era a camisa florida igual à de turistas.

— Você está bonito com essa roupa nova... e essa alpargata.

— Você também está bonita... toda arrumada... vestido novo...

— Foi você que me deu! — disse ela, batendo palmas.

Os dois estavam sentados num degrau da calçada junto à fachada do prédio. Não havia mais ninguém com eles e o movimento na parte baixa da calçada era intenso, assim como o de veículos na rua.

— Você não pensa em sair daqui? — perguntou Isaías.

— Daqui onde?

— Da rua.

— E ir para onde? Para outra rua?

— Ir morar numa casa.

— Eu já morei em casa. Na casa dos meus pais. Não quero voltar para lá nem ir para casa nenhuma. Eu fico louca num lugar fechado, com quarto, porta... Aqui na rua não tem parede nem porta, nem precisa de janela, e eu não tenho que me preocupar com nada. Mesmo comida sempre aparece... Eu sempre fico com um pouco de fome, mas nunca sem comida nenhuma.

— Você merece uma vida melhor.

— Não mereço, não. Eu não sou uma pessoa boa. Não faço nada por ninguém. Aliás, não sei fazer nada, só sei fazer cocô, xixi e chorar.

— Não fala assim, Princesa, você conhece uma porção de assunto... Você sabe dizer o que as coisas são...

A conversa foi interrompida por uma senhora que parou ao lado dos dois, dobrou levemente o corpo e, dirigindo-se a Isaías, perguntou:

— O que ela tem? Está passando mal?

— Ela não tem nada. Por que a senhora está perguntando?

— Só quero ajudar... ela está sentada aí na calçada, tão pálida...

— Ela é assim mesmo, dona, ela não está passando mal, não.

— Então por que está aí no chão?

— É o lugar dela, dona. Ela mora aqui.

— Como? Ela mora aqui? E você? O que está querendo com ela? Acho melhor eu chamar um guarda.

— Nós estamos conversando — disse Princesa —, ele é meu amigo.

— Se fosse seu amigo, tirava você deste chão imundo. Pouca vergonha!

— Pouca vergonha é a sua, que vem aqui querendo pegar o meu homem.

A mulher ficou lívida e ruborizada, e também assustada. Foi se afastando devagar, olhando seguidamente para trás até dobrar a esquina e desaparecer.

— Ela passa aqui todos os dias e fica me olhando — disse Princesa. — Quando eu olho de volta, ela levanta o queixo e sai resmungando.

Isaías não tinha dito nada durante a abordagem da mulher, e até ela virar a esquina permaneceu em silêncio, sem entender direito o que havia acontecido. A tarde já ia pela metade e ele desejava continuar ali, sentado ao lado de Princesa, para falar sobre o que acabara de acontecer.

— Não fica com essa cara, Isaías, aquela mulher é meio maluca.

— É o que eu estava dizendo antes dela aparecer. Aqui na rua qualquer um pode parar bem na sua frente e dizer qualquer coisa. As pessoas pensam que só porque você está sentada na calçada elas podem ofender você, gritar com você, podem falar mal de você, e até te bater. E o que você pode fazer com elas? Não pode fazer nada, por isso eu digo que o melhor para você é procurar um lugar para morar.

— Eu fugi de casa para morar no Rio. Bem longe. Não quero sair daqui.

— Tá bom, ninguém vai te tirar daqui. Eu venho te ver todo dia e não vou deixar ninguém te fazer mal. Quando passar tudo isso da morte daquele homem, nossa vida vai melhorar. Eu te prometo. Enquanto isso, se alguém te ameaçar, manda um desses meninos de rua me chamar. Chego aqui num minuto.

Isaías se levantou.

— Quer que eu vá buscar alguma coisa pra você no bar?

— Eu queria um lanche.

Isaías saiu andando em direção ao bar, enquanto Princesa ajeitava a roupa, retirava de dentro de uma sacola de plástico um pequeno espelho redondo e se examinava, conferindo o batom e o cabelo. Quando Isaías voltou com o lanche, ela e sua "casa" estavam arrumadas.

— Trouxe um café para mim também.

Tomaram o café em silêncio. Cada um parecia imerso em seu mundo interior.

— Isaías...

— Que é, Princesa?

— Eu não quero dinheiro nem quero coisas. Tudo o que preciso eu tenho aqui comigo. Dinheiro me dá medo.

— Está bem, Princesa.

— Você vai me ajudar quando eu precisar?

— Já disse que é só você mandar um menino ir me chamar.

— Então eu não tenho medo.

— Vai ser como você quiser.

12

Sob o céu de verão, Espinosa e Irene saíram preparados para sua longa caminhada. Tinham dormido no apartamento dele e a proposta era sair do Bairro Peixoto, descer as seis quadras da rua Figueiredo Magalhães até a praia de Copacabana, ir caminhando até Ipanema pela calçada junto à praia, dar um mergulho no mar e depois irem para o apartamento de Irene, que ficava perto da praça Nossa Senhora da Paz, em Ipanema, onde passariam o restante do sábado e todo o domingo. Calção de banho e biquíni por baixo das bermudas, camiseta, chapéu de algodão e tênis era o vestuário básico para os quatro ou cinco quilômetros de caminhada ao sol. Em seus dez anos de relacionamento, não era a primeira vez que Espinosa e Irene faziam isso, e ambos ainda mantinham o mesmo empenho e motivação para o passeio. Ou quase o mesmo: as diferenças eram que agora tinha aumentado o número de paradas para se hidratarem com água de coco, e o mergulho no mar, no fim do percurso, se tornara menos impetuoso, embora igualmente agradável.

Na segunda-feira, quando os inspetores Welber e Ramiro, encarregados da campana de Princesa, relataram o fim de semana ao delegado Espinosa, contaram que tanto na noite de sábado como na de domingo um homem alto e forte, que depois confirmaram ser Isaías, passara três vezes na calçada em frente, a intervalos de mais ou menos uma hora, sem, porém, falar com a moradora de rua nenhuma das vezes. Não parecia especialmente preocupado em se esconder, e os inspetores acharam que Princesa não se dera conta da passagem dele por lá.

Terminado o relato, Espinosa disse aos inspetores que fossem conversar informalmente com Isaías, para saber por que ele tinha ido fazer aquelas rondas noturnas na área onde Princesa ficava.

Nem Welber nem Ramiro chegaram a uma conclusão sobre Isaías: se ele era um primitivo ingênuo, um perverso dissimulado ou um louco ainda mais louco que Princesa, por achar que ela era de fato uma princesa caída em desgraça.

Um motivo para a visita a Isaías desta vez ser menos tensa era a ausência dos cães. Na última vez que os inspetores haviam conversado com ele, os cachorros grandes não deram sossego, ficaram sempre em volta do dono, enquanto os menores corriam de um lado para o outro, latindo sem parar.

Welber e Ramiro bateram palmas e sacudiram o portão, até descobrirem uma pequena corda saindo por um buraco do tapume que, ao ser puxada, fazia soar uma campainha.

Isaías abriu o portão.

— Os senhores são da delegacia...

— Isso mesmo, Isaías, inspetor Ramiro e inspetor Welber.

— O quê...

— Podemos entrar? O sol está forte.

— Claro, podem entrar, não tem mais os cachorros.

Isaías dava a impressão de ainda não ter sintonizado bem o canal de comunicação com os dois inspetores. Abrira um pouco mais o portão para que eles entrassem e apontava para a área térrea do prédio, para que os policiais pudessem se abrigar do sol forte. O local, que, tudo indicava, viria a ser o hall de entrada do edifício, era um amplo espaço coberto de concreto aparente e chão de terra batida. Até os bancos que Isaías foi buscar num quartinho — provavelmente o quarto onde ele dormia, já que não havia nada mais em volta semelhante a um quarto — eram toscos e desconfortáveis, a madeira de cor acinzentada pelo tempo e pela poeira misturada com pó de cimento. Ramiro comentou depois com Welber que o cenário daquela construção interrompida lembrava fotografias em preto e branco dos prédios de cidades europeias destruídos pelos bombardeios da Segunda Guerra. Isaías, completamente sozinho agora, passava os dias trancado atrás daqueles tapumes que lhe bloqueavam inteiramente a visão da rua. Seu contato humano parecia se restringir às breves saídas noturnas para ir conversar com Princesa.

— Então, Isaías, viemos saber se está tudo bem com a sua amiga Princesa.

Isaías contraiu levemente o corpo ao ouvir o nome dela, os olhos ficaram mais abertos e as mãos agarraram a borda do banco.

— O que aconteceu com a Princesa? — perguntou num tom quase inaudível.

— Não aconteceu nada. Pelo menos por enquanto — respondeu Ramiro.

— Mas nós estamos achando que vai acontecer alguma coisa — disse Welber.

— Por que vocês acham isso?

— Pelo tanto que você está preocupado com ela — retomou Ramiro.

— Preocupado?

— Só uma preocupação muito grande com ela pode explicar o fato de no fim de semana você ter feito algumas rondas noturnas em frente à calçada dela.

— Aquilo não foi ronda. Foi só pra ver se estava tudo bem com ela.

— E por que não estaria? Por acaso ela te contou que foi ameaçada por alguém?

— Não. Ninguém ameaçou ela.

— Então por que você está vigiando a Princesa?

— Ela fica lá sozinha...

— Mas ela sempre ficou sozinha, ela mora na rua há anos.

— Mas antes tinha outros moradores de rua perto dela, na mesma calçada. Depois das coisas que aconteceram, não tem mais ninguém lá, ela ficou sozinha.

— E o que você acha que pode acontecer com ela?

— Podem fazer com ela a mesma coisa que fizeram com os outros.

— Você está querendo dizer que podem matá-la?

— Não mataram um morador de rua outro dia?

— Antes de matarem o morador de rua, alguém matou o Estrangeiro com uma facada. Mas parece que a Princesa não teve nada a ver com a morte dele nem sabe quem teve. Ou será que de alguma forma ela está envolvida? É por isso que você está preocupado?

— A Princesa não teve nada a ver com aquilo — disse Isaías, aflito.

— Mas parece que você não acredita muito nisso, tanto é que está preocupado e resolveu protegê-la.

— Ela não fez nada nem viu nada. Eu é que fico preocupado por minha conta. Alguém pode achar que ela viu alguma coisa e resolver matar ela também.

— Como mataram o sem-teto.

— Vocês é que estão dizendo isso.

— É verdade. Somos nós que estamos dizendo isso. Mas queremos saber se você concorda com a nossa opinião.

— Eu não sei de nada do que aconteceu lá.

— Certo. Então vamos fazer o seguinte: a partir de hoje, você toma conta deste terreno e deste prédio e nós tomamos conta da Princesa, porque se você continuar vigiando a Princesa todas as noites a polícia vai pensar que *você* é que está querendo fazer alguma coisa contra ela.

Isaías não disse nada.

— Entendeu bem qual é a situação?

— Entendi.

— Concorda então que é melhor cada um cumprir a sua obrigação sem se meter no trabalho do outro?

— Concordo.

— Ótimo. Então até a vista.

Um céu de verão sem nuvens, meio-dia. Ramiro e Welber procuraram voltar pelo caminho que oferecia mais sombra. Em dez minutos estavam quase chegando à delegacia.

— Onde vamos almoçar? — perguntou Ramiro.

Antes que Welber tivesse tempo de responder, viram o delegado Espinosa descendo a escada da delegacia e foram imediatamente convocados para almoçar com ele e, no caminho, relatar a conversa com Isaías. Resolveram almoçar na Trattoria porque assim, no percurso até o restaurante, haveria tempo de expor o encontro ao delegado. Havia entre eles o acordo de não discutirem assuntos da delegacia durante o almoço. Quando chegaram, o proprietário os recebeu com a alegria de sempre e os acomodou numa mesa junto à janela.

— Ele deve estar escondendo alguma coisa. Talvez uma ameaça que não existia quando tivemos nossas primeiras conversas — disse Ramiro.

— Achamos que foi depois da morte do sem-teto. A Princesa deve estar pensando que a morte do homem foi um aviso do que pode acontecer com ela se resolver abrir o bico — continuou ele.

— Acho que quem esfaqueou o sem-teto no estacionamento não hesitaria mesmo em matar a Princesa. Mas estou cada vez mais convencido de que todos estão querendo saber é onde está a mala. E acho que pensam que a Princesa sabe.

— Daí a preocupação do Isaías — arriscou Welber.

— É, faz sentido — disse Espinosa. — O diabo é que nem tudo que faz sentido é verdadeiro.

O garçom trouxe os pratos e o assunto foi protelado.

Na quarta-feira de manhã, Espinosa recebeu um telefonema do delegado Marcos, da Polícia Federal.

— Espinosa, com as digitais e a fotografia de Laura Clemente que você nos forneceu, varremos todos os registros e fizemos todos os cruzamentos que nossos programas de computador permitem, e posso lhe dizer que o resultado não foi animador. As digitais são sem dúvida da pessoa da foto, que até então conhecemos pelo nome de Laura Clemente, mas são também de três outras pessoas, de três nacionalidades distintas. Uma curiosidade: se você procura o nome "Laura Clemente" no Google, aparecem trinta mil entradas, e tudo indica que nenhuma se refere à Laura que procuramos. Concluindo, o verdadeiro nome da mulher com quem você esteve em Copacabana e ajudou nos trâmites do IML para o traslado do corpo pode não ser Laura Clemente. Tudo indica que Laura Clemente saiu de cena.

— O nome dela pode não ser esse, mas a mulher é tão verdadeira quanto você e eu. O que desconhecemos é a identidade dela. Nós dois sabemos, Marcos, que uma simples visita ao cemitério ou uma consulta ao livro de registro de óbitos da Santa Casa fornecerá um bom número de nomes de pessoas que morreram na infância cuja data de nascimento coincide mais ou menos com a nossa. Portanto, conseguir certidões com diferentes nomes e filiações é relativamente fácil. Quando Laura Clemente esteve aqui na delegacia, não era suspeita de nada, veio se apresentar como irmã da vítima, portanto não havia motivo para colhermos suas digitais; as que enviamos para você são as que estavam nos documentos dela, dos quais tiramos cópia. Seja qual for o nome dela, essa mulher é real e deve estar em algum lugar.

— O que você sugere? — perguntou o delegado Marcos.

— Sugiro o seguinte: se a suposta Laura veio aqui com todos aqueles documentos e certidões de embaixada para sequestrar um corpo numa gaveta do IML, é porque a vítima devia estar com alguma coisa de muito importante no momento em que foi morta, uma coisa que precisava ser recuperada a qualquer preço, então ela veio e tentou. Minha opinião é que essa coisa era uma mala.

— E você está pensando em soltar a notícia de que a mala foi encontrada?

— Não. Estou pensando em soltar a notícia de que a mala não foi encontrada e de que oferecemos uma recompensa em dinheiro a quem fornecer uma pista que nos leve a ela. O que a notícia contém de verdade é que a mala realmente não foi encontrada; o que contém de inverdade é que nem sabemos se existe uma mala. Tudo que temos é um tíquete do setor de bagagens do aeroporto.

13

Eram quatro e meia da tarde e o movimento de carros e de pedestres na avenida Copacabana era intenso quando um homem se aproximou de Princesa com um pacote em uma das mãos e um copo de café na outra. Com gestos mansos e um modo de falar suave, estendeu o embrulho e o copo para ela.

— Boa tarde, Princesa, o delegado Espinosa disse que você gosta de fazer um lanchinho no meio da tarde...

— Obrigada. Foi o delegado Espinosa que mandou?

— Não. Ele apenas falou que você gostava.

— Você também é policial?

— Não. Por quê? Pareço um?

— Não é isso, é que hoje em dia a gente não sabe mais. A polícia está cheia de rapazes e moças, a gente não sabe quem é policial e quem não é — explicou Princesa.

— Mas não é o meu caso. Para dizer a verdade, eu e os policiais não nos damos muito bem — respondeu o homem.

— Mas, pelo jeito, com o delegado Espinosa você se dá bem — insistiu Princesa.

— É verdade, mas não é a mesma coisa com outros policiais. Durante muitos anos eles perturbaram a minha vida.

— Mas você parece um homem de um nível bom... Por que não se dava bem com os policiais?

— Posso sentar aqui do seu lado? Fica melhor para conversarmos.

Princesa estendeu um pedaço de papelão para o desconhecido.

— Assim você não suja a calça.

— Obrigado.

— Mas por que você e os policiais não se davam bem?

— É coisa de outros tempos, de quando eu era um menino de rua e andei aprontando umas e outras... nada de mais. Eu só queria arranjar uns trocados com os turistas, mas os guardas não deixavam a gente chegar perto deles.

— Quanto tempo você viveu na rua?

— Eu nasci na rua. Minha mãe também. Eu cresci sem nunca ter morado numa casa, até minha mãe morrer, quando eu tinha nove anos.

— E seu pai?

— Não conheci meu pai, nem sei quem ele era. Minha mãe dizia que era um turista que depois prometeu voltar para me levar para a terra dele, mas acho que ela dizia isso para compensar.

— Compensar o quê?

— Compensar um pouco isso de eu não ter pai.

— E o que aconteceu depois que sua mãe morreu?

— Aconteceu que eu continuei na rua, mas sozinho, quer dizer, sem ela. Na verdade, a gente vivia em grupo, para não ser atacado. Até que um dia um educador de rua me levou para um abrigo de padres. Foi legal e foi ruim. Legal porque lá eu aprendi a ler e escrever, e ruim porque eu não aguentava ficar preso no abrigo. Um dia, pulei o muro e fugi. Mas logo fui apanhado e tive que voltar. Passado um tempo, fui morar com uma família. Só que também não aguentei ficar lá. Eles queriam tomar conta de tudo que eu fazia... até quando eu ia ao banheiro eles iam atrás... aí fugi. Depois comecei a fugir dos guardas... Mas isso tudo aconteceu há muito tempo. Eu era um menino.

Princesa ouvia atentamente o homem falar. Ainda não tinha tocado no café que ele trouxera.

— E como você conheceu o delegado Espinosa? — perguntou.

— Ele me ajudou um dia. É um cara muito legal.

— Ele também tem me ajudado — disse Princesa.

Os dois ficaram em silêncio, olhando as pessoas que passavam na calçada como se esperassem ver o delegado Espinosa surgir da multidão.

— Você nem comeu o lanche que eu trouxe. Gosta mais de café com leite? — perguntou o desconhecido.

— Não, está muito bom assim. Eu estava ouvindo você falar. E por que o delegado Espinosa mandou você vir falar comigo?

— Ele não mandou. Ele nem sabe que eu estou aqui.

— Então...

— É que eu passo sempre por aqui, pela outra calçada, e sempre quis conversar com você, mas não tinha coragem de me aproximar. Até que um dia vi o delegado Espinosa trazer café com pão para você. Aí eu disse a mim mesmo: puxa, o delegado Espinosa sai da delegacia dele e vem aqui falar com ela, e ainda traz um lanche, senta na calçada ao lado dela... Ele é um homem importante, ela é uma sem-teto, e os dois conversam tão naturalmente... Foi quando tomei coragem para vir falar com você, sentar ao seu lado também, só para ouvir as coisas interessantes que você deve ter para dizer.

— Ah, eu não digo nada de interessante, não — disse Princesa, sorrindo meio encabulada. — É que o delegado Espinosa andava querendo saber se eu tinha visto um homem ser morto bem ali na calçada numa madrugada dessas. Mataram o homem, depois arrastaram ele até aqui, até a marquise. Roubaram tudo do coitado. Parece que era um estrangeiro.

— E você contou como foi?

— Eu disse pro delegado que eu estava dormindo.

— E ele acreditou?

— Ele ainda não sabe se acredita ou não. Acho que acredita só um pouco.

— E por que você não contou a verdade para ele? O delegado Espinosa não é seu amigo?

— Ele não é meu amigo; ele é um delegado de polícia e eu sou uma sem-teto, não dá pra sermos amigos.

— Eu também sinto isso. Mas não é bom mentir para um delegado, ele pode achar que você está protegendo o cara que matou o homem.

— Ele não tem certeza se eu estava acordada. Era de madrugada. Todo mundo estava dormindo.

— Mas as pessoas que estavam aqui debaixo da marquise devem ter acordado. Eu já vi alguns sem-teto dormindo aqui. Você disse que mataram o homem e arrastaram o corpo até a marquise, e depois roubaram tudo que ele tinha.

— Não foi bem aqui, foi ali ao lado, e quem matou não foi quem roubou.

— Ah, então você não estava dormindo...

Princesa ficou ruborizada e se corrigiu:

— Eu não fiquei dormindo *o tempo todo*. Não vi quando mataram o homem, só vi quando arrastaram o corpo dele.

— E por que você diz que não foram eles mesmos que mataram o homem?

— Porque eles não são gente ruim. Não roubam ninguém... Só pegaram as coisas do homem porque ele já estava morto mesmo, caído na rua.

— E levaram tudo?

— Tudo, não. Eles estavam nervosos. Queriam fugir rápido. Acabaram deixando algumas coisas.

— E quem levou o que eles deixaram? Apareceu mais alguém depois?

— Não tinha ninguém na rua, não passava nem carro, mas eu também fiquei nervosa e aí me deu vontade de ir ao banheiro.

— Mas se não tinha nada aberto, como é que você foi ao banheiro? Desculpe eu perguntar uma coisa dessa, é que quando eu era menino de rua, eu fazia as minhas necessidades na praia ou em algum canto escondido, mas você...

— Eu uso o banheiro do pátio interno dos prédios aqui ao lado.

— E aí, quando você foi lá, aproveitou e pegou o que tinha ficado na rua, fala a verdade... — arriscou o desconhecido, rindo com ar cúmplice.

— Não, eu não peguei nada. Só tirei da rua. Qualquer um podia passar e levar...

— Aí depois eles voltaram para pegar o que tinham deixado — completou o desconhecido.

— Só um voltou, e também foi morto — disse Princesa com voz miúda.

— Pagou pelo que fez — concluiu o desconhecido.

— Como foram dois que atacaram o tal estrangeiro, pode ter sido ele o que matou.

— Devem ter pensado que foi ele.

— E aí mataram o pobre-coitado — disse ela.

— Uma maldade.

O desconhecido fez uma pausa, esperando que Princesa acrescentasse alguma coisa ao comentário dele, mas ela ficou com o olhar perdido na multidão.

— Eu gostaria que a gente pudesse conversar mais vezes — disse o desconhecido.

— Venha quando quiser — convidou Princesa. — Eu estou sempre aqui.

— Venho mesmo.

— Como você se chama?

— Severino.

— Você é casado?

— Não. E você?

— Também não... Mas tenho um namorado. Ele cuida de mim. Outro dia me deu uma porção de roupas novas. Ele é muito bom para mim.

— E ele não vai ficar chateado de eu ficar aqui conversando com você?

— Ele só vem de dia nos sábados e domingos.

— Quer dizer que nos outros dias posso visitar você?

— Você tem namorada?

— Não. Por quê? Você está querendo namorar comigo?

— Eu já tenho namorado... E também tenho um filho. Mas não é filho desse meu namorado. Ele se chama Vítor.

— Quem? O namorado?

— Não, meu filho. Ele tem cinco anos e já está na escola.

— Que maravilha. Então eu venho te visitar só para a gente conversar sobre o Vítor. Pode ser?

— Pode. Como é mesmo o seu nome?

— Severino.

— E eu, Princesa... É assim que me chamam.

Princesa ficou observando Severino se afastar, prestando atenção em seu porte, em seu modo de andar, até ele se misturar na multidão.

Ele lembra um pouco o Isaías, pensou, só que mais bonito. Também fala melhor que o Isaías. E não estava de bermuda, camiseta e sandálias Havaianas, como o Isaías; estava de calça, camisa e tênis. Claro que o Isaías é muito legal, mas esse Severino é mais simpático. E tem um nome lindo. Ele disse que queria conversar comigo mais vezes...

Então Princesa passou a mão pelo rosto e se deu conta de que estava sem batom e de que não tinha penteado o cabelo. Ficou aborrecida. Preciso estar sempre pronta, se repreendeu. Morando na rua, a gente nunca sabe quando um encontro repentino pode acontecer.

Antes de começar a reunião da equipe de delegados e inspetores da 12ª DP, Espinosa perguntou se alguém tinha alguma comunicação a fazer sobre as investigações em curso. Um dos inspetores encarregados da campana noturna de Princesa levantou o braço.

— Fale, inspetor Guilherme — disse Espinosa, apontando para ele.

— Eu estava voltando a pé de uma diligência e quando passei pela calçada onde fica a Princesa vi um homem sentado com ela. Estavam conversando como grandes amigos. Pela foto que foi distribuída do vigia amigo dela e pela descrição que circulou dele, devia ser Isaías.

— Como ele era? — perguntou Espinosa.

— Mesmo sentado parecia alto e corpulento. Não tinha jeito de sem-teto, estava vestido corretamente.

— O que você chama de estar "vestido corretamente"? — insistiu Espinosa.

— Bem, ele estava de calça jeans, camisa, tênis. A roupa não estava esfarrapada nem rasgada, e o tênis era relativamente novo.

— A que horas foi isso? — continuou Espinosa.

— Há uma meia hora, no máximo.

— Inspetor Guilherme, volte lá e veja se o homem ainda está conversando com ela. Inspetor Welber, vá junto e veja se é mesmo o Isaías. O modo como está vestido não combina com o vigia, que anda sempre de bermuda, camiseta, sandálias Havaianas... No entanto, se parece muito com o modo de se vestir do desconhecido que andou me seguindo e depois desapareceu. Se não for o Isaías, detenham o sujeito e tragam-no para a delegacia. Tomem cuidado. Acredito que ele pode ser perigoso.

Assim que os dois saíram, Espinosa iniciou a reunião com a equipe. Pouco depois, recebeu um telefonema de Welber comunicando que não havia mais ninguém conversando com Princesa.

— Então não falem com ela nem procurem saber quem era o homem. Voltem para a delegacia.

Terminada a reunião, Espinosa chamou Ramiro e Welber a seu gabinete. Passava das seis: àquela hora a equipe responsável pela campana noturna de Princesa já devia estar a postos. Espinosa recomendara que ficassem atentos ao novo personagem.

— Qualquer pessoa que se aproximar da Princesa deve ser abordada. Não só porque ela corre o risco de ser morta como também porque vai sofrer o assédio de pessoas interessadas em saber quem matou o Estrangeiro e de pessoas interessadas no destino daquilo que foi roubado do morto, talvez a mala. Tenho certeza de que não foi Isaías quem visitou Princesa hoje à tarde, não era o horário dele nem o jeito de se vestir dele. Pela descrição que o inspetor Guilherme fez, parece muito mais o homem que me seguiu. Ele é ousado, experiente, não teme se mostrar. Tenho a impressão de que alguma coisa vai acontecer a qualquer momento, e que tem a ver com a Princesa. Vamos montar quatro plantões de seis horas nos próximos dias. Não sei durante quanto tempo vamos poder manter esse esquema, mas vamos conservá-lo pelo menos até o final da semana.

— O senhor não acha que se essa mala realmente existisse já teria aparecido? — indagou o inspetor Ramiro. — Ninguém nunca mencionou mala nenhuma. Só nós falamos nela, e mesmo sem tê-la visto. Talvez estejamos à procura de uma mala que não existe.

— Pode ser. Mas não se esqueça de que temos o tíquete de uma mala grampeado no bilhete da passagem do Estrangeiro e que tudo neste caso, coisas, pessoas... é tão fantasmagórico quanto essa mala. Até o morto virou literalmente fumaça. Mas, apesar de toda essa fantasmagoria, continuo acreditando que no centro de tudo existe uma mala bastante real que vai nos ajudar a ligar todos os elementos dispersos.

Quinta-feira e o serviço de meteorologia previra chuva forte à tarde, ventos fortes de sudoeste e mar de ressaca. Caso as previsões se cumprissem, seria um dia molhado, pensou Espinosa ao sair de casa de manhã. O ar estava abafado, nenhuma folha se mexia nas árvores. As pessoas na rua olhavam para o céu cinza-chumbo como se isso pudesse alterar a ordem atmosférica. Pelo jeito uma autêntica tempestade tropical estava para chegar. Espinosa não tinha guarda-chuva: detestava guarda-chuva.

A caminho da delegacia, pensava em Princesa. Como

ela se protegia da chuva? Mesmo abrigada sob a marquise, as rajadas mais fortes atingiriam todos os pontos da calçada.

Chegou à delegacia com as primeiras gotas de chuva e assim que entrou em seu gabinete ouviu o barulho da chuva grossa caindo sobre o telhado. Uma hora depois, ela continuava na mesma intensidade, e as luzes da rua se acenderam como se fosse noite. Por volta das quatro, perdeu a força e Espinosa saiu para ver Princesa. O trânsito na rua Barata Ribeiro e na avenida Copacabana estava lento, assim como o fluxo de pessoas nas calçadas, com guarda-chuvas se chocando por todos os lados. A cerca de três metros de onde Princesa costumava ficar, Espinosa percebeu pessoas aglomeradas em volta de um obstáculo que Espinosa viu ser Princesa. Aflito, abriu caminho entre os pedestres até chegar à moradora de rua. Princesa estava sentada encolhida, coberta por uma capa, e de olhos fechados. Espinosa se agachou ao lado dela e precisou dizer seu nome três vezes e sacudi-la um pouco para ela abrir os olhos. Sorriu ao vê-lo.

— Você realmente tem um sono pesado — disse ele.

— Pensei que fosse o meu namorado — disse a moradora de rua.

— O Isaías?

— Não. O meu namorado novo.

— Você desmanchou com o Isaías?

— Não. Ele continua sendo meu namorado, só que o antigo. Estou falando é do meu namorado *novo*.

Espinosa se acomodou junto à parede do prédio, sentado sobre alguns pedaços de papelão que Princesa lhe estendeu.

— E como é o nome desse novo namorado? — perguntou Espinosa.

— Severino.

— E como você conheceu o Severino?

— Eu já conheço ele há muito tempo. Ele foi meu namorado quando a gente estava na escola.

— Então é uma amizade antiga. E vocês não se viam desde o tempo da escola?

— É. Foi muita coincidência ele me encontrar aqui.

— Muita. Nem sei como vocês se reconheceram.

— Namorado de escola a gente não esquece.

— E como vocês fazem para se encontrar?

— Ele disse que vai vir sempre aqui pra gente continuar conversando.

— Que bom. Agora você já tem duas pessoas para conversar.

— Duas não, três... — disse ela, sorrindo para Espinosa.

— É verdade. Dois namorados e um delegado. Por falar nisso, já comeu seu lanche hoje?

— Já. Uma moça simpática e bonita que estava aqui conversando comigo me trouxe um copo de café com leite agora há pouco.

— Então já são quatro amigos.

— Ela ainda não é minha amiga, mas disse que gostou muito de mim.

— E com certeza vai se tornar sua amiga. Como ela se chama?

— Não perguntei. Quando ela aparecer de novo, pergunto.

— E ela disse quando ia voltar?

— Disse que voltava logo.

— Quem sabe um dia desses você me apresenta seu novo namorado e sua nova amiga.

A chuva continuava a cair, mas o vento abrandara um pouco. Estava escuro como noite. Estranha coincidência que um namorado de infância e uma nova amiga tivessem escolhido tardes chuvosas para um encontro em plena avenida Copacabana.

Espinosa voltou à delegacia achando que, apesar da chuva, a visita a Princesa fora proveitosa.

Subindo a escada para o andar de seu gabinete, encontrou Welber e fez sinal para que o acompanhasse.

— Posso estar enganado, mas é possível que o meu

perseguidor e Laura Clemente tenham estado ontem e hoje com a Princesa. O desconhecido se apresentou como Severino e ela está achando que se trata de um antigo namorado do tempo de escola; já a suposta Laura não disse o nome, mas as duas conversaram longamente. Ambos prometeram voltar. Acredito que, se forem eles mesmos, voltarão durante o dia, quando o movimento no entorno de Princesa é maior.

14

Sexta-feira. A equipe responsável pela campana de Princesa, além dos inspetores Ramiro e Welber e do próprio delegado Espinosa, estava alerta para uma possível aproximação de Severino e talvez de Laura Clemente.

Outra coisa que intrigava Espinosa era a matança dos cachorros de Isaías. Se aquilo fora um aviso, o vigia continuava sob ameaça. Por que ninguém tentara arrancar de Isaías alguma coisa que Princesa pudesse ter lhe contado, já que era tão amiga dele? Por que matar os cachorros e não fazer nada contra ele?

Ainda era cedo. Espinosa chamou Welber a seu gabinete.

— Quero que você vá até a obra do Isaías e o traga à delegacia. Se Ramiro estiver livre, peça que vá com você.

Welber e Ramiro seguiram pela Tonelero em direção ao Bairro Peixoto, onde, quase ao lado do prédio de Espinosa, havia uma servidão que ligava o Bairro Peixoto à rua Santa Clara, onde ficava a obra que Isaías guardava. O portão estava trancado com a corrente. Welber olhou por uma fresta do tapume e não percebeu movimento do lado de dentro. Puxou a cordinha da campainha, mas não ouviram nenhum movimento.

Ramiro tocou a campainha mais algumas vezes, sem resultado. Bateram palmas. Chamaram pelo nome de Isaías. Nada. Telefonaram para Espinosa.

— Delegado, não tem ninguém na obra... Ou então o Isaías não quer atender. Pulamos o tapume?

— Por enquanto, não. Ele pode ter dado uma saída. Vamos esperar uma hora, depois vocês tentam outra vez. Agora, antes de voltarem para a delegacia, passem pela Princesa e vejam se ele por acaso não está lá com ela.

Welber e Ramiro voltaram no mesmo passo em que tinham ido, só que dessa vez desceram a Santa Clara até a avenida Copacabana, dobraram à esquerda e seguiram em direção ao ponto de Princesa. Chegaram suficientemente perto para concluir que a moradora de rua estava no seu lugar de sempre, sozinha e aparentemente bem.

Uma hora depois, voltaram à obra de Isaías e de novo puxaram a cordinha que acionava a campainha. Nenhuma resposta. Viram o cadeado na corrente, mas ele não estava trancado. Abriram o portão e entraram.

Verificaram primeiro o terreno em torno do prédio. Em seguida foram até o quartinho de Isaías e logo viram que o vigia não vigiava mais nada. Isaías levara as suas roupas e os poucos objetos pessoais que os inspetores tinham visto em sua visita anterior. Examinaram um por um os dez andares da construção. Por fim vasculharam a garagem.

O delegado Espinosa escutou atentamente o relato de seus dois investigadores e fez apenas uma observação:

— Ele foi embora antes de receber o pagamento semanal feito aos sábados; o próximo recebimento, portanto, seria amanhã.

Uma investigação mais detalhada com vizinhos, porteiros e motoristas de táxi das redondezas, bem como nas lojas próximas, nada revelou. Isaías fora visto nas últimas semanas, mas não nos últimos dias. Espinosa achava que ele devia ter saído durante o dia, aproveitando o movimento da rua. Um homem sozinho carregando uma mochila ou uma sacola no meio da noite chamaria mais a atenção.

Welber entrou em contato com a construtora responsável pela obra. Não conseguiu saber muita coisa. Isaías trabalhava sem contrato e sem os benefícios da lei trabalhista, não por negligência da empresa, mas porque ele próprio não quis carteira assinada, preferindo trabalhar como biscateiro. Certamente tinha suas razões para fazer essa escolha. Quanto ao nome Isaías, não sabiam dizer se era verdadeiro, pois seus empregadores nunca haviam lhe pedido nenhum documento. Ele se apresentara com esse nome, e assim ficou. O único contato com a construtora se dava através do funcionário que aos sábados ia à obra verificar se estava tudo em ordem e pagar o salário semanal de Isaías.

— Uma coisa é indiscutível: Isaías desapareceu — disse Espinosa. — Diga para as equipes encarregadas da campana da Princesa ficarem atentas.

Ramiro e Welber solicitaram ao delegado Espinosa um eletricista para instalar pontos de luz na garagem do prédio em construção, pois o único ponto que havia ali mal dava para iluminar a entrada. Ficou combinado que Welber voltaria à obra na manhã seguinte acompanhado de um eletricista.

No sábado, o eletricista foi até a obra e, com uma gambiarra, instalou pontos de luz em boa parte da garagem, bem como no quarto de Isaías.

A garagem ocupava toda a área construída do prédio. Apesar de seu tamanho enorme, a revista foi facilitada por não haver divisões. Nem na garagem nem no quarto havia pistas de qual poderia ter sido o destino de Isaías. Restavam somente duas ou três peças de roupa penduradas num prego na parede. Tudo indicava que partira para não voltar. Para uma busca minuciosa, seria preciso uma equipe maior.

Espinosa deixou passar o fim de semana para ir ver Princesa e tentar descobrir se Isaías podia estar envolvido no assassinato do Estrangeiro — havia uma longínqua possibilidade de Isaías ter ido visitar Princesa no sábado ou no domingo.

Na segunda-feira de manhã, Espinosa foi ver Princesa, dessa vez sem café.

— Bom dia, Princesa. Preciso falar com Isaías. Procuramos por ele na obra, mas não tem ninguém lá... desde sexta-feira. Você sabe onde ele está?

— Ele só sai de lá para ir ao supermercado comprar algumas coisas e vir aqui me ver. Mas neste fim de semana ele não veio... Nem o Severino nem a minha amiga.

— Eu não sei o motivo, Princesa, mas acho que o Isaías fugiu. Você sabe do que ele pode ter fugido?

— Será que do homem que matou os cachorros dele?

— É uma boa ideia. Pode ser. Só não sabemos quem é esse homem. Se soubéssemos, podíamos prendê-lo... E também não sabemos por que esse homem matou os cachorros dele.

— Foi porque o Isaías é meu amigo.

— Assim como o sem-teto que foi esfaqueado? Será que Isaías está pensando que vai acontecer a mesma coisa com ele?

— Mas o Isaías não fez nada.

— E o sem-teto fez alguma coisa?

Princesa fez que não ouviu a pergunta. Espinosa repetiu.

— O sem-teto fez alguma coisa com o Estrangeiro? Se você não me disser, não posso ajudar a encontrar o Isaías. E ele pode estar correndo perigo.

— Eles fizeram... Eles tiraram as coisas daquele homem...

— Do que morreu esfaqueado aqui perto de você?

— É.

— Não deixaram nada?

— Só uma coisa — disse Princesa de forma quase inaudível.

— A mala — adiantou Espinosa.

— Como é que você sabe?

— Eu não sei, mas imaginei que ele pudesse estar chegando de viagem e estar com uma mala.

— Ele chegou de táxi.

— E quando ele desceu do táxi estava com uma mala?

— Estava. Depois, quando puxaram ele para debaixo da marquise, puxaram também a mala, mas os dois colegas estavam muito assustados mexendo nos bolsos dele, na carteira, no relógio, olhavam para todos os lados com medo...

— Eles falaram alguma coisa enquanto tiravam os objetos do morto?

— Não. De repente, os dois saíram correndo e viraram a esquina na direção da praia.

— E a mala?

— Ficou bem do meu lado. Uma mala com rodinhas. Então eu levantei, peguei a mala e fui puxando ela até o pátio aqui onde tem o banheiro que eu uso. As pessoas já estão acostumadas a me ver entrar lá. Escondi a mala atrás de um carro velho que está sempre lá no mesmo lugar.

— Princesa, isso que você está me contando não é um sonho como aquele que você me contou outro dia?

— Você vive me confundindo com essa história de sonho e verdade. Todo sonho meu é de verdade.

— E o que você fez com a mala?

— Nada. Só contei pro Isaías que eu tinha deixado a mala lá no pátio onde ficam os carros. Falei que era melhor ele tirar a mala de lá antes que alguém a encontrasse.

— E o Isaías pegou a mala?

— Ele nunca mais comentou nada sobre isso. A gente esqueceu o assunto.

Espinosa ficou olhando para Princesa sem saber o que pensar, o que dizer ou o que fazer.

— Princesa, alguma vez o Isaías lhe disse o que tinha dentro da mala?

— Devia ser roupa, não é? Se o Isaías pegou, pode aproveitar para ele; para mim é que não serve.

— E o Severino, você alguma vez falou da mala para ele?

— Não me lembro. Tinha muita gente em volta quando ele veio me ver. Estava chovendo muito. Foi igual quando veio a minha amiga que também não voltou mais.

— E essa sua amiga perguntou alguma coisa sobre a mala?

— Pode ter perguntado, mas também não me lembro.

— Está bem, Princesa. Se eu tiver notícias do Isaías, venho lhe contar. E se você se lembrar de alguma coisa sobre a mala, mande alguém me chamar.

A possibilidade de Isaías ter ficado com a mala combinava com seu repentino desaparecimento e, sobretudo, fazia pensar que a mala realmente poderia não conter apenas roupa, como Princesa imaginara. A primeira coisa a ser feita era examinar palmo a palmo o terreno e o interior do prédio à procura de cinzas ou indícios de fogo e de terra escavada recentemente, uma vez que uma enxada e uma pá foram encontradas junto à porta do quarto do vigia.

Na tarde daquele mesmo dia, Welber e Ramiro, ajudados por mais dois inspetores estagiários, iniciaram uma varredura de todo o espaço da obra. Depois de uma tarde inteira de buscas, encontraram um local nos fundos do terreno que parecia ter sido escavado — uma área de menos de um metro quadrado. Não precisaram escavar muito para constatar que era onde Isaías enterrava as fezes de seus cachorros.

15

Na terça-feira, Espinosa voltou a falar com Princesa e a encontrou com a mesma expressão triste no rosto.

— Bom dia, Princesa.

— Bom dia, delegado.

— Alguma coisa não vai bem?

— Está tudo bem, delegado. Comigo não está acontecendo nada, mas acho que está acontecendo alguma coisa com os meus amigos... Já faz vários dias que ninguém aparece. Nem o Isaías, que vinha sempre me ver.

— Mas ontem eu lhe disse que o Isaías desapareceu, que ele não está mais na obra, que ninguém sabe para onde ele foi. Você esqueceu?

— Você disse que ia procurar por ele.

— Disse, e estamos procurando, mas ainda não o encontramos. Ele pode ter saído da cidade. Você uma vez me disse que também costuma sair da cidade quando alguma coisa não vai bem, não é?

— Eu vou para a casa da minha família... no Sul... Mas o Isaías não tem família, ele não conhece ninguém fora daqui. Ele me contou que veio do Amazonas, nem sabe o nome da cidade, era ainda muito menino...

— Você não acha que ele pode ter fugido por causa da mala?

— E por que ele ia fazer isso? Eu dei a mala para ele.

— Mas você não podia dar a mala. Ela não era sua. Era do homem que morreu.

— Pois então. Se o homem morreu, não era mais dono

da mala. A mala ficou largada. Eu não podia devolver a mala para o homem, porque ele estava morto. Então dei para o Isaías. O Isaías pode fazer o que quiser com a mala.

— Ele pode morrer por causa dela.

— Ele não vai morrer por causa disso, não. Ele é forte e esperto.

— Tomara que você tenha razão — disse Espinosa, despedindo-se.

A reunião com a equipe no final do dia foi interrompida pelo inspetor Celso, um dos investigadores encarregados da campana de Princesa. Ele pediu para falar com o delegado Espinosa em particular.

— Delegado, no meu turno de hoje à tarde, vi o senhor chegando para falar com a Princesa. Atrás do senhor vinha um homem que correspondia à descrição que nos passaram, para ficarmos atentos a um possível aparecimento dele. Enquanto o senhor conversava com a Princesa, ele ficou do outro lado da rua, observando de longe. Eu já tinha visto esse homem, mas não tinha dado importância, porque isso foi antes de sair o alerta contra ele. Quando o senhor se afastou da Princesa para ir embora, o homem foi atrás. Eu saí atrás dele e o continuei seguindo depois que o senhor entrou aqui na delegacia. Acho que ele percebeu que estava sendo seguido e acabou me despistando. Então voltei para a campana, que tinha ficado a descoberto.

— Bom trabalho, inspetor Celso.

Terminada a reunião, Espinosa chamou Welber.

— Severino, ou alguém parecido com ele, está me seguindo. O inspetor Celso acha que era ele atrás de mim hoje à tarde. Disse que não é a primeira vez que o vê circulando pela área. Ainda não consigo ver por que razão Severino estaria me seguindo.

— Delegado, acho que devemos montar um esquema de proteção ao senhor, pelo menos na sua volta para casa no fim do dia ou nas suas saídas por aqui. Eu e Ramiro podemos cuidar disso, se o senhor concordar.

— Vamos usar a sua arte do disfarce. Não precisa ser nada a ponto de Selma não te reconhecer quando você chegar em casa; basta um disfarce que engane o Severino. Se é que é mesmo ele.

— Ramiro pode acompanhar o senhor até em casa hoje no fim do expediente. Eu posso sair mais cedo e fazer uma varredura no Bairro Peixoto e adjacências.

— Ótimo. Saia à hora que achar conveniente. Quando me vir chegar em casa, ligue para dar notícias.

Quando o delegado Espinosa saiu da delegacia à noite escoltado pelo inspetor Ramiro, Welber já saíra quatro horas antes. O trajeto da delegacia até o Bairro Peixoto foi feito sem nenhum problema e sem um perseguidor visível.

Pouco depois de entrar em casa, o celular de Espinosa tocou.

— Delegado...

— E então, Welber?

— O senhor tinha razão: está sendo seguido. Só que não por alguém parecido com o tal Severino... mas pelo Isaías.

— Isaías?! E você o deteve?

— Achei melhor não, delegado.

— Por que não?

— Porque o outro também estava lá.

— Severino?

— Se é que o nome é esse. Isaías estava seguindo o senhor e Severino seguia o Isaías. Se eu prendesse o Isaías, o outro perceberia e eu não iria poder mais vigiá-lo.

— Você tem certeza de que era ele?

— Absoluta... O mesmo homem que seguiu o senhor e o mesmo que, segundo a descrição do inspetor Guilherme, procurou a Princesa na semana passada. Fiquei com a impressão de que não é no senhor que o Severino está interessado, e sim no Isaías. Até porque ele sabe onde encontrar o senhor, mas não sabe por onde o Isaías anda quando não está na obra ou com a Princesa.

— E o Isaías? — perguntou o delegado.

— Parecia assustado, olhava o tempo todo para os lados e para trás como se receasse estar sendo perseguido. O pior é que estava mesmo, só que não percebeu; o homem é realmente bom.

— Mas não viu você.

— Viu, sim, eu passei mais de uma vez na frente dele para poder controlar mais de perto os passos do Isaías, só que ele não percebeu que era eu.

— E o que aconteceu depois?

— Quando o senhor entrou no seu prédio, o Isaías foi embora da praça e o outro foi atrás dele. Se eu seguisse os dois, poderia ser visto pelo desconhecido e até pelo Isaías.

— Onde você está agora?

— Ainda na frente do seu prédio.

Espinosa foi até a sacada da sala e vasculhou a praça com o olhar.

— Onde?

— O senhor está olhando para mim.

— A única pessoa que está... Welber!

— Psiu, delegado, assim o senhor me entrega.

— Suba para tomar um café, um copo d'água ou alguma coisa mais forte.

Quando Espinosa abriu a porta do apartamento, deparou com um velho de cabelo e barba inteiramente brancos, com óculos grossos de grau, carregando uma sacola de supermercado em cada mão.

16

A segunda saída do delegado Espinosa com proteção policial foi na volta para casa naquela quarta-feira, sob a guarda do inspetor Welber. A primeira foi a campana sob disfarce feita por Welber na noite anterior, que revelara uma dupla vigilância: de Isaías sobre ele, Espinosa, e de Severino sobre Isaías. Agora, e sem disfarce, Welber era todo atenção ao acompanhar Espinosa até o prédio do Bairro Peixoto.

Escolheram o percurso mais longo, passando pela galeria Menescal e entrando no Bairro Peixoto pela rua Anita Garibaldi. Nem Espinosa nem Welber viram nada de suspeito nem avistaram Isaías ou o desconhecido. A noite estava agradável e a praça, movimentada, com a garotada jogando bola na quadra cercada por tela de arame, crianças pequenas acompanhadas das mães ou das babás, idosos jogando damas, adultos correndo pela calçada que circunda a praça. Os dois policiais caminhavam por dentro da praça, quando Welber tocou o braço de Espinosa e comentou de modo casual:

— O Isaías. Na nossa diagonal à direita, do outro lado da rua, atrás dos carros estacionados. Está de roupa escura, acho que jeans e camisa azul, e não parece muito preocupado em se esconder de nós.

— Estou vendo. Na rapidez com que está andando, vai cruzar conosco quando estivermos bem no meio da praça e, se continuar em frente, vai sair na rua pela qual entramos. Não parece nem um pouco interessado em nós

— disse Espinosa. — Está andando muito rápido, quase correndo.

— Olhe de quem ele está fugindo — acrescentou Welber, apontando com a cabeça na direção da calçada oposta.

Caminhando não tão depressa, paralelamente a Isaías e na mesma direção dele, ia o provável Severino.

— De novo aquele sujeito atrás do Isaías... Por que não fez nada contra ele, apesar de ter tido tempo e oportunidade?

— Está aterrorizando o Isaías — disse Espinosa. — Não sabemos há quanto tempo está colado no calcanhar dele, mas a qualquer momento o vigia pode entrar em pânico.

— E por que escolheram exatamente o Bairro Peixoto para cenário dessa perseguição?

— Eles não escolheram. Isaías escolheu.

— Chegamos — disse Espinosa, abrindo a portinhola de acesso ao pequeno jardim de seu prédio. — Não era em mim que eles estavam interessados — concluiu.

— Não vamos acreditar nisso tão rapidamente, delegado. Boa noite.

Faltavam poucos minutos para as oito. Espinosa depositou a arma, o celular e a carteira em cima da mesa da sala, desfez-se do paletó e retirou um congelado da geladeira, deixando-o na bancada da pia. Pegou uma cerveja, voltou para a sala e ligou o computador, a fim de ver seus e-mails e atualizar as anotações sobre o caso do Estrangeiro.

A reforma do apartamento dera alma nova a seu único imóvel, pensou Espinosa. Cozinha e banheiros eram as peças-chave de uma moradia; se uma delas não funcionava, todo o resto não funcionava, refletiu. E agora, nesses dois ambientes, ele dispunha do que havia de mais moderno e de mais funcional, além de qualidade. Enquanto jantava, começou a antecipar a escolha do novo livro que começaria a ler naquela noite entre os que se empilhavam na mesinha, ao lado do abajur. Recolheu o prato e os talheres, deixou a mesa arrumada para o café da manhã, preparou um café e lançou-se à escolha do livro.

Na manhã seguinte, Espinosa foi informado de que durante a noite anterior Princesa recebera a visita do mesmo homem que a procurara na semana anterior. Segundo o informe, ela e o visitante conversaram por meia hora. Ele falava e ela respondia com frases curtas. Terminado o encontro, o homem pegara um táxi que passava. O número da placa fora anotado. Ramiro ficou encarregado de localizar o taxista.

Espinosa dividiu a calçada com os banhistas que se dirigiam para a praia. Ao chegar à marquise, encontrou Princesa ainda com a expressão triste que exibira no último encontro deles.

— Você está aborrecido comigo? — perguntou Princesa assim que o viu.

— Oi, Princesa, bom dia. Por que está perguntando isso?

— É que você está aí de pé... é sinal de que não quer conversar, que só veio me fazer perguntas.

— O fato de estar de pé não significa que eu esteja aborrecido com você.

— Qual a pergunta que você veio fazer?

— O que o Severino queria com você ontem?

— Então é por isso que você está aborrecido...

— Não estou aborrecido. Mas você também não parece muito satisfeita, e acho que tem a ver com a visita do Severino. Se é que esse é o nome dele.

— Por quê? O nome dele pode não ser esse?

— Deve ser, afinal foi o nome que ele deu para você, não foi?

— Ele se chama Severino, sim. Nós namoramos no tempo da escola.

— Então ele é da mesma cidade que você.

— Não, ele foi para lá quando era pequeno.

— Quantos anos vocês tinham quando namoraram?

— Nove... dez... Não me lembro bem.

— Mas se lembrou dele e do nome dele. As pessoas mudam muito...

— Não me lembrei na hora, ele é que me ajudou. Perguntou o que eu lembrava da escola, se eu lembrava do parque do recreio, do nome da professora...

— Mas ele se lembrou do seu nome.

— Lembrou, só que...

— Naquele tempo você não se chamava Princesa.

— Como você sabe? Você não estava lá!

— É verdade, eu não estava lá.

— Por que está inventando essas coisas?

— Eu não estou inventando nada, Princesa. Você é que estava me contando da época em que conheceu o Severino.

— Pois foi na escola. Nós namoramos. Depois ele foi embora. Agora ele voltou.

— Voltou para fazer perguntas sobre o Isaías — disse Espinosa.

— Foi pergunta de namorado, não tem nada a ver com a polícia.

— Então vocês estão namorando de novo depois de todos esses anos?

— Estamos... Quer dizer, ainda não.

— E por que ainda não? Ele é comprometido?

— Ele não, mas eu sou... com o Isaías.

— Ah! Então foi por isso que ele veio aqui ontem à noite. Ele quer que você acabe o namoro com o Isaías?

— Acho que sim.

— E você vai acabar?

— Não sei. Faz um tempão que o Isaías sumiu.

— Vai ver que ele sumiu porque você começou a namorar o Severino.

— Ele sumiu antes.

— É por isso que você está triste? Porque o Isaías não veio mais te ver?

— Sinto falta dele.

— E você sabe por que ele sumiu?

— Não.

— O Severino sabe?

— Como vai saber? O Severino nem conhece ele.

— É verdade, desculpe.

— Então o Severino quer que você acabe o namoro com o Isaías para vocês dois poderem namorar — concluiu Espinosa.

— Isso mesmo, mas eu só posso terminar o namoro quando o Isaías aparecer.

— Você gosta mais do Severino ou do Isaías?

— Por que você quer saber essas coisas de namorado?

— Por segurança. Você entregou a mala para o Isaías tomar conta. Você entregaria a mala para o Severino também?

— Eu nem sei onde está essa mala — respondeu Princesa.

— Você não disse que escondeu no pátio interno do prédio ao lado?

— Mas eu não aguento carregar uma mala.

— Você disse que a mala tinha rodinhas.

— Eu disse?

A conversa com Princesa irritou Espinosa. Quando a fala dela parecia formar um todo lógico, coerente, a integridade do conjunto ameaçava se desfazer pela ação corrosiva de uma única frase ou palavra.

Depois do almoço, foi para o seu gabinete pensar no fracasso parcial da conversa com Princesa: sucesso na relação pessoal e fracasso em acompanhar a lógica de suas narrativas. Ramiro e Welber estavam presentes.

— Severino está cada vez mais assíduo — disse Espinosa —, mas não temos nenhuma acusação contra ele. A única evidência é que volta e meia ele aparece onde nós estamos. Nada mais que isso. Há a suspeita de ele estar ligado a Laura Clemente, já que ambos fizeram contato com Princesa quase ao mesmo tempo, porém não passa de uma suspeita. De toda maneira, vamos continuar de olho nele. Até porque ele está de olho no Isaías. Hum... agora me ocorreu uma coisa: já que ele está perseguindo o Isaías, por que não determos os dois para averiguações? Vocês dois ficam encarregados disso! Digam que eles estão sendo detidos para prestar depoimento no caso do assassinato de Artur Clemente. É importante que sejam presos ao mesmo tempo, mesmo que em lugares diferentes.

Nem Isaías nem Severino foram vistos na noite daquela quinta-feira nem no dia seguinte.

— Talvez Severino tenha finalmente pego o Isaías, se é que era esse o seu intuito. Vocês voltaram à obra? — perguntou Espinosa à dupla de inspetores.

— Voltamos. Está como deixamos.

— Bem, a ordem de detenção continua valendo. Se os dois desaparecerem de vez, só teremos a Princesa.

— Assim como nós vimos os dois, eles também devem ter nos visto, e decerto estarão se perguntando quem está perseguindo quem. Na dúvida, cada um deve ter ido para o seu lado — especulou Welber.

17

Espinosa não tinha jantado e ainda estava vestido tal como chegara da rua. Ficou andando de um lado para o outro, pegando livros que comprara em sebos e deixara espalhados pela sala em pequenas pilhas para serem guardados em sua bizarra estante feita só de livros. Mas não era a isso que pretendia se dedicar naquele momento: largou na mesa os livros que tinha nas mãos e foi até o pequeno balcão de ferro batido de uma das janelas francesas que davam para a rua. Ficou olhando para a praça iluminada já esvaziada de crianças e reocupada por casais de namorados e grupos de jovens, mas na verdade sem ver nada, sem fixar os olhos em ponto nenhum. Foi até a cozinha, abriu a porta da geladeira e em seguida fechou-a sem pegar nada. Voltava para a janela, quando a campainha da portaria soou. Ao mesmo tempo que apertava o botão para liberar a abertura da porta de baixo, lembrou que tinha combinado com Irene que eles passariam aquele fim de semana no Bairro Peixoto.

Irene subiu as escadas com a alegria costumeira e com as sacolas com vinho, pão italiano e queijo Gruyère.

Antes mesmo de Espinosa aliviá-la do peso das sacolas, Irene notou que alguma coisa não ia bem.

— O que aconteceu, querido?

— Nada de mais. Sobras do dia.

— Alguma novidade sobre a Princesa?

— Nenhuma. Ela está sendo vigiada vinte e quatro horas por dia. Mesmo quando sai para ir ao banheiro, seguimos seus passos. Ela se locomove melhor do que pensávamos. Estamos achando que ela está cada dia mais triste, talvez por não receber mais a visita dos amigos.

— Ela não tem amigos entre os moradores de rua?

— Ela nunca fez amizade com eles. Pode ser também que tenha ficado marcada como sendo amiga da polícia, ou pelo menos amiga do delegado. Isso pode ser bom para a sua imagem diante dos comerciantes e moradores locais, mas talvez a comprometa com os sem-teto.

Fez uma pequena pausa.

— Mas me fale de você e da sua semana... Enquanto isso pego o saca-rolhas para abrir o vinho e começarmos nosso fim de semana.

Manhã de segunda-feira. Assim que chegou à delegacia Espinosa pediu notícias de Princesa.

— Sem novidade, delegado.

Princesa estava arrumando seus pertences, pedaços de papelão e sacolas de diferentes tamanhos, quando viu Espinosa se aproximar. Alisou a saia e passou a mão pelo cabelo, chegou a estender a mão para alcançar o batom, mas desistiu.

— Olá, Princesa, não nos vemos desde a semana passada.

— Meus amigos não vêm mais me visitar... Pensei que você também tinha desistido.

— Desistido de quê, Princesa?

— De mim. Como todo mundo.

— Pode ser que seus amigos estejam ocupados ou atrapalhados com alguma coisa. Pode ser que o Isaías esteja gripado. Pode ser que o Severino tenha precisado viajar...

— O Isaías nunca fica gripado, ele não sente frio nem calor, não se importa com a chuva, não sente dor de cabeça... Eu nunca vi o Isaías doente. Não é por causa de doença que ele não vem me ver. A mesma coisa o Severino. Se ele fosse viajar, acho que teria me avisado.

E emendou:

— Nem a minha nova amiga voltou para conversarmos, e ela prometeu voltar.

— Você não me disse como é essa sua nova amiga — falou Espinosa.

— Ela é bonita, parece uma estrangeira... Loura e clara como eu... E tem os olhos da cor dos meus.

— Então deve ser muito bonita.

— Você nunca me falou da sua namorada.

— É porque sempre falamos dos *seus* namorados.

— Agora eu não tenho mais namorado.

— Eles vão voltar.

— Por que está dizendo isso?

— Porque eu sei que eles vão voltar.

— Se você está dizendo, então eu acredito.

— Sobre essa nova amiga que apareceu aqui... você nunca tinha visto ela antes?

— Não. Se tivesse visto, me lembrava. Ela apareceu, só isso.

— E ela se interessou pela sua história?

— Ela quis saber a mesma coisa que todo mundo. Por que eu moro na rua, se os vagabundos e os bêbados não batem em mim, se não me roubam... Imagine... roubar o quê?

— Não perguntou se você tinha amigos?

— Perguntou. Eu disse que tinha dois amigos, o Isaías e o Severino, e que também o delegado Espinosa era meu amigo. Ela perguntou se eu não tinha amigos aqui da rua. Eu disse que só conhecia de vista uns que dormiam debaixo da marquise, mas que depois da história do homem que morreu aqui na calçada eles tinham sumido. Ela não se interessou muito por isso. Queria saber como eu fazia para andar sempre arrumada, disse que a cor do meu batom era muito bonita, que combinava comigo... E quando foi embora, me deu o batom dela de presente.

Princesa pegou o batom que a nova amiga lhe dera e passou-o nos lábios com todo o cuidado, orientada por um pedaço de espelho um pouco maior que uma lente de óculos.

— Que tal? — perguntou, puxando o cabelo para trás para salientar o rosto.

— Ficou muito bem em você.

— Muito gentil da parte dela, não foi? É a minha nova amiga e eu nem sei o seu nome.

— Como seus amigos não têm vindo, agora então eu venho te ver todos os dias, prometo.

— Que bom. Veja se descobre o que aconteceu com eles... com o Isaías.

— Vou tentar.

18

Recorrer à rede de informantes da delegacia não rendeu nada de especial. Boa parte deles nunca tinha ouvido falar em Isaías e ninguém sabia quem era Severino.

Welber e Ramiro voltaram ao terreno da obra. O portão estava como eles haviam deixado, com o cadeado na corrente do lado de dentro, mas sem estar trancado. Puxaram a corrente, retiraram o cadeado e abriram o portão. Não sabiam o que esperavam encontrar; talvez algum detalhe que passara despercebido nas buscas anteriores.

Começaram pelo quarto de Isaías, que também servia de depósito. Além de ferramentas e utensílios como um fogão portátil de duas bocas, um bujão de gás, um forno de micro-ondas e uma capa impermeável amarela, que pertenciam à construtora, havia duas bermudas velhas, duas camisetas furadas, uma sandália Havaianas bastante usada, mas nenhum objeto de uso pessoal, como escova de dentes, pente, aparelho de barbear.

Uma vistoria no restante do prédio nada revelou de novo. Aparentemente o cotidiano de Isaías se restringia àquele quartinho e a um pequeno banheiro com vaso sanitário, chuveiro e pia.

De volta à delegacia, os inspetores comunicaram ao delegado Espinosa as impressões da nova visita ao refúgio de Isaías.

Era difícil para Espinosa especular para onde teria ido aquele homem cuja vida solitária era quebrada apenas pelas visitas que fazia a Princesa. Isaías era uma natureza solitária que nunca buscara o convívio com outras pessoas.

— Se é mesmo verdade que Princesa deu a mala ao Isaías, ela só pode estar na obra — disse Ramiro. — Algo que nos escapou nas duas buscas que fizemos. O fato é que ele trabalhava como vigia daquele prédio havia mais de um ano, tempo bastante para esconder alguma coisa, mesmo grande, num espaço vazio daquele tamanho, sem ninguém perceber — disse Ramiro.

— Sentindo-se perseguido por Severino, ele teria escondido a mala num lugar seguro, pretendendo voltar mais tarde para pegá-la. É isso que você está supondo, Ramiro?

— Isso mesmo. Já revistamos o prédio todo duas vezes, mas podemos procurar melhor. A garagem do subsolo, por exemplo, é bem grande, e o piso não chegou a ser concretado, ainda é de terra, e bastante irregular; é um lugar onde ele poderia ter enterrado a mala.

— Por que enterrar e não queimar? — indagou Espinosa.

— Não encontramos nenhum indício de fogo. E se ela foi enterrada, só vamos saber se voltarmos munidos de um aparato de busca eficaz: um cão farejador — disse Ramiro.

— E luz, muita luz... — acrescentou Welber

— ...e uns dois ou três tarefeiros — sugeriu Espinosa.

No dia seguinte, Ramiro, Welber e dois tarefeiros se puseram a esquadrinhar a garagem da obra. A primeira providência foi substituir as lâmpadas que haviam instalado por outras mais fortes, além de preparar extensões para os spots com tripés que podiam carregar com eles pela garagem subterrânea. Em seguida, procuraram identificar partes do solo que parecessem ter sido remexidas recentemente, o que já haviam feito no terreno da obra, mas não na garagem. Quase uma hora depois de terem iniciado a inspeção, a campainha do portão tocou duas vezes seguidas. Era o policial com o cão farejador. O policial se apresentou aos dois inspetores e mostrou-lhes Apolo, um perdigueiro com jeito calmo e displicente. Em seguida, perguntou o que eles estavam procurando. Ramiro explicou e Welber informou ao policial que naquele terreno tinham vivido até recentemente seis cachorros do vigia, o que talvez perturbasse a busca de Apolo, mas o policial pareceu não se preocupar.

— No momento estamos particularmente interessados na garagem. Nossa hipótese é que o vigia enterrou alguma coisa lá, talvez uma mala.

— Vocês têm alguma roupa do vigia?

— Temos.

— Ótimo.

Ramiro foi buscar uma das bermudas velhas que Isaías havia deixado no quartinho e entregou-a ao policial.

— Eu vou descer com Apolo, é melhor vocês esperarem aqui em cima.

Policial e cachorro seguiram pela rampa da garagem e, assim que chegaram lá embaixo, o homem estendeu a bermuda para o animal cheirar. Em seguida, soltou a guia e o perdigueiro saiu célere pela garagem, focinho no chão. Os primeiros percursos foram erráticos, depois passaram a ser refeitos com menos sofreguidão, até por fim se concentrarem em determinada área. O cão cheirou a terra e olhou para o seu treinador, soltando um grunhido. O policial foi até o ponto indicado, riscou um círculo de um metro de raio na terra e espetou uma vareta no centro. A área demarcada recebeu o número um. O cachorro cheirou de novo a bermuda e a cena se repetiu. Depois de muitas repetições e hesitações, o cão se concentrou numa área distante da primeira, que foi igualmente demarcada e numerada com o número dois. O policial levou Apolo para o extremo oposto da garagem e repetiu o procedimento, e ali mais uma área foi demarcada: a de número três. Por fim, chamou o cão, prendeu-o na guia e lhe deu algum petisco como recompensa, que ele abocanhou de uma só vez.

Convocados, os tarefeiros começaram a cavar a primeira área demarcada. Cavaram uns dois palmos e encontraram algo parecido com restos orgânicos misturados com terra. Cavaram mais um pouco e não encontraram mais nada. O material recolhido foi guardado num saco plástico e etiquetado com o número da área correspondente. Em seguida começaram a cavar a outra área. A escavação na área dois rendeu a ossada de um animal ainda não inteiramente decomposto. Pelo tamanho, podia ser um gato ou um cachorro pequeno — provavelmente um dos cães de Isaías. Na terceira área demarcada, não encontraram nada até a profundidade de quatro palmos de terra. Os tarefeiros fizeram um descanso de meia hora; o treinador, então, deu uma camiseta de Isaías para Apolo cheirar. O cachorro saiu a campo; depois de percorrer quase toda a superfície da garagem, parou muito próximo à primeira área demarcada. Os homens cavaram e encontraram um par de luvas cirúrgicas e alguns pequenos tubos contendo bolinhas escuras. Quando concentraram o foco de luz nos tubinhos, Ramiro e Welber se entreolharam e pediram aos homens que cavassem um pouco mais. Foram encontrados mais tubos vazios e resíduos de material em decomposição. Ramiro instruiu o policial a manter Apolo afastado daquela área.

Welber perguntou ao policial se ele sabia o que havia nos vidrinhos. Depois de examinar um deles, o homem sacudiu um pouco o conteúdo e devolveu o frasco a Welber.

— Chumbinho.

— Foi o que eu imaginei, por isso pedi que mantivesse seu cachorro afastado.

— Não se preocupe, os cães farejadores são treinados para não comer nada que encontram em suas buscas.

— Por via das dúvidas, é melhor não arriscar. A morte por envenenamento de chumbinho é horrível, o material não tem cheiro nem gosto e é capaz de matar um cachorro do porte de Apolo em menos de meia hora.

Welber se virou para Ramiro e perguntou:

— Continuamos ou paramos por aqui?

— Você sabe o que significa isso que acabamos de encontrar?

— É o veneno com o qual Isaías matou os próprios cachorros.

— Vamos fazer mais uma busca.

Apolo saiu como das outras vezes, mas em vez de percorrer toda a garagem fez alguns trajetos curtos e parou nos limites da área onde os operários não haviam encontrado nada. Eles cavaram mais um pouco ali, sem sucesso.

Os trabalhos do dia foram dados por encerrados. De volta à delegacia, Ramiro e Welber fizeram um resumo dos acontecimentos a Espinosa e lhe mostraram os tubos com chumbinho. Parecia não haver dúvida de que o próprio Isaías envenenara os cães.

— Por que será que ele fez isso? — perguntou-se Welber.

— Porque queria dar a impressão de estar sendo perseguido e ameaçado pelos homens que mataram os sem-teto — disse Espinosa.

— E o sujeito veio aqui na delegacia com lágrimas escorrendo pelo rosto e voz trêmula dizendo que tinham assassinado os cachorros dele... — lembrou Welber.

— Será que ele mata apenas cachorros ou mata também humanos? — lançou Ramiro.

— O que me parece contraditório é ele ser extremamente gentil, cuidadoso e quase reverente com Princesa. Difícil acreditar que era fingimento — disse Espinosa.

— Princesa é fácil de ser enganada. É uma criança — disse Ramiro.

— É fácil de ser enganada, mas ela também demonstra facilidade de enganar os outros. Não deliberadamente, mas por viver num mundo fantasioso que acaba confundindo as pessoas — observou Espinosa. — No que diz respeito a Isaías, porém, acho que *ela* é que foi enganada.

Espinosa encarregou Welber de redigir um relatório das buscas e escavações feitas na garagem subterrânea para juntar ao material recolhido e de enviar tudo à polícia técnica.

Depois que Welber e Ramiro saíram com o material para exame, Espinosa entregou-se à reflexão: aquele caso era como vários casos entrecruzando-se. Nada de complexo ou propriamente confuso, mas cada elemento se tornava um mutante quando relacionado com os outros, de tal modo que nada nem ninguém fazia sentido, ou então o sentido mudava com extrema rapidez. Uma espécie de caos brando, se isso era possível. O único elemento que permanecia idêntico a si mesmo desde o começo dos acontecimentos era Princesa... que no entanto não passava de uma ficção criada por ela mesma, uma criatura não existente.

O dia seguinte transcorreu sem novidades. O recado deixado por Freire no celular de Espinosa confirmou o que eles já esperavam: "Digitais na luva, chumbinho, carne podre".

Na manhã de quinta-feira, Espinosa e Welber chegaram quase ao mesmo tempo na delegacia. Ramiro, meia hora depois. Os três se reuniram na sala do delegado.

— Muito bem — disse Espinosa —, o que está desagradando vocês?

Ramiro respondeu pelos dois.

— As coisas não batem, delegado. Se Isaías pretendia se arrancar sozinho com a mala, por que matar os cachorros e por que se preocupar em disfarçar, enterrando os restos?

— Porque ele não pretendia fugir. Pelo menos não no primeiro momento. E precisava contar com a simpatia e o apoio da polícia, daí a estratégia de assumir o papel de vítima e contar com a solidariedade de todos. Mas alguma coisa ameaçou essa estratégia e ele teve de fugir.

— Pode ser, mas acho que alguma coisa está nos escapando. Na busca que fizemos quarta-feira na garagem, o cão farejador localizou vários objetos, que depois de fato encontramos, mas por duas vezes se fixou em lugares onde não encontramos nada. Ele apontou para nada, para uma não coisa, cavamos duas vezes a área indicada pelo

ção e não havia nada lá. Isso me intrigou mais do que os achados.

— Então talvez seja o caso de insistirmos mais um pouco na busca... — sugeriu Espinosa.

— É o que também gostaríamos de fazer.

— Vocês vão precisar do cão farejador e dos tarefeiros de novo?

— Num primeiro momento, só dos tarefeiros. Não tenho mais preparo físico para pegar na enxada, mas meu faro ainda está razoável — disse Ramiro, rindo.

Às dez e meia da manhã, Welber, Ramiro e os dois tarefeiros estavam de volta à garagem do prédio inacabado onde Isaías trabalhara. Welber deu as instruções.

— Vocês se lembram de que o cachorro apontou três locais. Vocês cavaram os três. Em dois encontramos material importante, mas no terceiro não encontramos nada. Queremos cavar um pouco mais fundo a mesma área.

Os dois tarefeiros começaram a aprofundar o buraco, que já tinha uns quatro palmos de profundidade. Quando usavam enxada, os dois não podiam cavar simultaneamente porque a área de escavação tinha pouco mais de um metro e meio de diâmetro; então, um cavava com a enxada e o outro retirava a terra com a pá. Decidiram alargar a circunferência ao mesmo tempo que cavavam, o que tornou a busca mais lenta. Às onze e meia, Welber sugeriu uma parada para o almoço. Os operários preferiram continuar por mais uma hora para não quebrar o ritmo do trabalho.

— Depois do almoço sempre dá um pouco de lerdeza, ainda mais se a delegacia pagar também uma cerveja para acompanhar o rango — disse o tarefeiro.

— Muito bem. Quando vocês acharem que está na hora, parem. Quanto à cerveja, tenho certeza de que está incluída no almoço.

Mais animados, os dois voltaram a cavar. Welber e Ramiro discutiam uma estratégia para atrair Severino para uma visita à Princesa, quando o homem que estava cavando parou e chamou os inspetores.

— Inspetor, tem alguma coisa aqui embaixo.

— Então vamos mais devagar. Que tal trabalhar com a colher de pedreiro agora? — propôs Ramiro.

Welber foi até o quarto de ferramentas e voltou com uma colher de pedreiro e uma pá pequena. Os tarefeiros passaram a trabalhar agachados, retirando a terra em porções menores, e começou a surgir um objeto preto brilhante, imediatamente identificado como um saco de remover entulho.

— É grande, inspetor. Deve ter muita coisa dentro desse saco... ele está fechado e amarrado... e cheirando mal.

— Vamos parar um pouco. Se vocês quiserem, podem aproveitar para almoçar.

Welber deu dinheiro para o almoço deles e em seguida ligou para o delegado Espinosa.

— Delegado, acho melhor o senhor vir até aqui. Parece que descobrimos um corpo. Está dentro de um saco plástico grosso e fechado com arame. Não abrimos.

— Quem mais está aí com vocês?

— No momento, ninguém. Dei folga para os dois tarefeiros almoçarem... por conta da delegacia.

— Tudo bem. Estou indo para aí.

Antes de sair, os tarefeiros tinham limpado o chão do buraco e retirado a terra em volta do saco plástico. Pelo tamanho e pela forma, era mesmo um corpo humano. Constataram que não era um saco, mas quatro, enfiados dois a dois pela cabeça e pelos pés e amarrados na altura da barriga.

— Imaginei que vocês estariam aqui embaixo — disse Espinosa, descendo a rampa da garagem.

O buraco tinha adquirido uma forma oval, com dois

metros de comprimento e pouco mais de um metro de profundidade.

— Dá para sentir o cheiro, mesmo o saco sendo grosso e estando bem amarrado com arame — disse Welber. — Preferimos esperar o senhor para abrirmos.

— Você trouxe a máquina fotográfica? — perguntou Espinosa.

— Trouxe.

— Então vamos fotografar a garagem, as escavações e essa cova com o saco. Depois fotografe bem de perto, com o saco ainda no chão, antes de mexermos nele.

Welber tinha acabado de tirar a primeira série de fotos, quando os dois tarefeiros voltaram do almoço e pularam para dentro do buraco.

— O que o senhor quer que a gente faça agora, doutor? — perguntou a Welber o que sempre falava pelos dois.

— Vocês sabem o que podem encontrar aí dentro, não sabem?

— Achamos que é um cadáver, doutor.

— Esperem um pouco.

Welber foi até a sacola de materiais que trouxera e tirou várias máscaras e uma caixa de luvas cirúrgicas.

— Ponham as luvas e as máscaras cirúrgicas. Se for um cadáver, já está em decomposição e não convém tocar nele com as mãos desprotegidas. As máscaras vão proteger vocês dos gases.

Os operários se sentiram importantes calçando luvas cirúrgicas e cobrindo a boca e o nariz com as máscaras.

Welber buscou um alicate para cortar o arame que amarrava o saco.

Os homens cortaram os arames e em seguida puxaram os sacos pelo lado que supunham ser o da cabeça. Não era a primeira vez que faziam aquilo.

Quando a metade superior do corpo foi exposta, Welber exclamou:

— É o Severino!

19

Os primeiros a serem chamados foram a perícia e a Homicídios. Já estava anoitecendo quando o corpo foi removido para o IML. Ao lado do saco plástico foi encontrada uma peixeira ainda nova.

Para surpresa do delegado Espinosa, o corpo ainda estava bem conservado. Não havia nenhuma dúvida: era o homem que seguira Espinosa por Copacabana, que fora seguido pelo inspetor Paulo e que depois fora visto seguindo Isaías; o mesmo que surpreendera Espinosa na avenida Atlântica e se apresentara a Princesa como Severino. No corpo nem no quarto de Isaías nenhum documento com o nome Severino nem com qualquer outro nome. A única pessoa que estivera com ele, que conversara com ele, era Princesa, que, embora afirmasse que ele era um antigo namorado do tempo da escola, não se lembrava dele nem de seu nome. O corpo que o rabecão do IML acabara de levar, portanto, era o de um desconhecido.

— Agora temos duas explicações para o desaparecimento de Isaías: o fato de ele estar sendo perseguido e o fato de ter matado seu perseguidor — disse Espinosa.

As primeiras informações sobre o suposto Severino chegaram à delegacia na sexta-feira no final da tarde. Ele estava morto havia mais de cinco dias e a boa conservação do corpo se explicava por ele ter sido enterrado dentro de dois sacos plásticos grossos e bem vedados, amarrados com arame, enterrados em solo seco e não expostos às intempéries. A morte fora provocada por laceração no pescoço com secionamento da carótida por instrumento cortante grosseiro.

— Está parecendo luta de faca — comentou Ramiro.

— Isaías? Não, não combina com o que sabemos dele — afirmou Espinosa.

— Delegado, ele envenenou seis cachorros! Por que não enfiaria uma faca em um homem?

— Porque não é a mesma coisa. Ele está no Rio há muitos anos e não tem antecedentes criminais, nunca foi detido por agressão, nunca feriu ninguém. Não sabemos o que o levou a matar os cachorros. A verdade é que não foi um ato repentino, fruto de um impulso enlouquecido; ele comprou o veneno, que não é vendido em qualquer esquina, recheou as bolinhas de carne com chumbinho e deu aos cães. Portanto, foi um ato pensado e preparado com antecipação. Para mim, não há dúvida de que ele gostava dos animais. O choro dele, quando falou conosco, era genuíno. O porquê de ele ter feito isso eu ainda não sei. Temos fortes indícios, mas nenhuma prova, de que Isaías foi o autor do envenenamento dos cachorros e da morte desse possível Severino. O cadeado daquele portão não permaneceu trancado desde que Isaías abandonou a obra: qualquer um poderia ter entrado lá, inclusive o Severino, para fazer a mesma coisa que nós fizemos, procurar a mala, e ter sido surpreendido por alguém que também estivesse à procura do mesmo objeto.

— O senhor acha que foi isso que aconteceu? — perguntou Welber.

— Não.

— Então...

— Mas não é impossível.

— O que nós vamos fazer agora?

— Vamos tentar atrair Isaías. E a única isca que temos é a Princesa. Vamos espalhar a notícia de que ela foi sequestrada.

Espinosa combinou com Ramiro e Welber que no dia seguinte iria conversar com Princesa e, caso ela concordasse com a proposta dele, os três a levariam dali e manteriam escondida até Isaías se manifestar.

— E se ele não se manifestar?

— Se ele não se manifestar, nós descobriremos o local onde ela está presa e a libertaremos. Claro que a Sequestros será avisada previamente e nos dará cobertura.

Às sextas-feiras, Espinosa e Irene costumavam jantar fora e depois passar a noite no apartamento de um deles.

Irene estava esplêndida. Seus quarenta anos davam maturidade a sua juventude. Espinosa achava que Irene não tinha idade; tinha beleza. Tinham feito reserva num restaurante inaugurado havia pouco tempo no Jardim de Alá, bem no limite de Ipanema com Leblon, de que Irene gostava especialmente. A noite de final de verão estava agradável. Os dois foram andando pelo calçadão da praia de Ipanema até o Jardim de Alá. No caminho, Espinosa contou a Irene o que acontecera nos últimos três dias e o que pretendia fazer no dia seguinte.

— Vocês vão sequestrar a Princesa?!

— Não vai ser um sequestro de verdade.

— E como vão fazer?

— Do mesmo jeito que fizemos para trazê-la da Cinelândia para Copacabana. Contrataremos uma van.

— Para onde vão levá-la?

— Se ela concordar, vamos levá-la para uma clínica particular no alto da Gávea especializada em pessoas com obesidade mórbida.

— E quem vai arcar com a despesa dessa clínica?

— Não vai haver despesa. O dono está há anos esperando pela oportunidade de agradecer à delegacia por um favor que ele acha que nos deve.

Às dez da manhã do sábado, Espinosa estava no bar da avenida Copacabana comprando o lanche de Princesa, que, majestosa, oferecia seu sorriso aos passantes. Parecia que os sustos e sofrimentos da vida duravam pouco para ela. Alguns eram instantâneos como uma picada de agulha, outros se estendiam no tempo, mas não o suficiente para imprimir uma marca ou deixar cicatrizes. Contudo Espinosa se perguntava se a tristeza daquele olhar não contrariava o permanente sorriso.

— Delegado Espinosa, eu vi você saindo do bar e achei mesmo que ia ganhar um café.

— Aqui está ele.

— Obrigada, eu ainda não tinha tomado café da manhã.

Princesa pegou um pedaço de papelão e o usou como uma bandeja para ajeitar o copo de café e o pão. Em seguida, pegou outro papelão e estendeu ao delegado.

— Você hoje não está de terno e gravata.

— É que é o meu dia de folga.

— E você não vai passear?

— Já estou passeando. Visitar você é a primeira parte do meu passeio.

Princesa encolheu os ombros e franziu a boca e os olhos, mostrando-se ao mesmo tempo envergonhada e feliz. Espinosa sentou-se ao lado dela e permaneceu algum tempo em silêncio. Na avenida Atlântica, uma quadra além de onde eles estavam, a praia de Copacabana recebia banhistas vindos de todos os cantos da cidade.

— Princesa, você gostaria de passar uns dias numa casa grande num terreno bonito, onde você vai ter um quarto só seu, café da manhã com pão, bolo e fruta, além de almoço e jantar e pessoas para te ajudarem no que for preciso?

— Para onde você está querendo me levar? Um abrigo?

— De certa maneira é, mas não como os abrigos que você conhece. É de um amigo meu, que está convidando você para se hospedar lá por uns dias.

— Ele me conhece?

— Não.

— E por que ele está me convidando, se não me conhece?

— Porque eu pedi a ele. E quero te explicar por que eu fiz esse pedido. Foi por causa do Isaías.

— Aconteceu alguma coisa com o Isaías?

— Ainda não, mas pode acontecer. Isaías desapareceu mesmo e ninguém sabe onde ele está. Acho que está escondido em algum lugar. Acho também que ele está escondido porque estão atrás da mala que você pediu para ele guardar. As pessoas que estão atrás dele são pessoas más. E nós não podemos fazer nada para proteger o Isaías porque não sabemos onde ele está. E acho que você também não sabe.

— Não sei mesmo.

— Tenho uma ideia para fazer o Isaías aparecer, e assim vamos evitar que façam mal a ele. Eu sei que o Isaías gosta muito de você.

— Eu também gosto dele.

— Pois bem. Minha ideia é espalhar a notícia de que você foi sequestrada e de que as pessoas que te sequestraram estão ameaçando te matar se o Isaías não entregar a mala. Tenho certeza de que, quando souber disso, ele vai entrar em contato conosco para devolver a mala e salvar você dos sequestradores.

— Mas eu...

— Você não vai ser sequestrada de verdade. Você vai estar na casa desse meu amigo, que é um abrigo particular para pessoas com problemas de obesidade. Ninguém vai saber onde você está. Só eu e meus dois investigadores. Nós vamos levar você e um de nós ficará lá na casa com você o tempo todo.

— E se eu quiser voltar para cá?

— Nós trazemos você de volta, assim como trouxemos da Cinelândia, está lembrada?

— Estou.

— Só tem um problema. Se você sair de lá antes do Isaías devolver a mala, os bandidos vão atrás dele. E você viu o que eles fizeram com o sem-teto que roubou as coisas do homem que levou a facada, não viu?

— Eles vão matar o Isaías?

— É isso que queremos evitar. Daí criamos esse plano de fingir que você foi sequestrada e dizer que se a mala não for devolvida os sequestradores vão te matar. Mas é mentira, entendeu? É só fingimento. O que nós queremos é que, para te salvar, o Isaías nos procure. Entendeu por que estou pedindo para você fazer isso?

— Acho que entendi.

— É como se você fosse passar uns dias numa casa de repouso, com todo conforto e com um de nós sempre por perto. Mas ninguém, absolutamente ninguém, pode saber do nosso plano.

— E quando vai ser isso?

— Hoje é o melhor dia. Você vai pegar uma sacola com algumas roupas e com seus objetos pessoais, vai se levantar para ir ao banheiro lá do pátio e, quando você estiver voltando para cá, nós vamos parar com uma van, você vai entrar e nós vamos embora. Hoje mesmo vamos espalhar a notícia de que você foi sequestrada.

— Eu tenho medo.

— Medo de quê?

— De ser sequestrada.

— Vai ser de mentira, Princesa. Nós vamos só fingir que sequestramos você. E depois vamos para essa casa onde você vai passar uns dias sendo muito bem tratada até o Isaías aparecer. Está bem?

Princesa fez que sim com a cabeça.

— Então vamos combinar como fazer.

Quando a van atravessou os portões da Clínica Santa Eulália, a primeira fase do sequestro fora concluída com sucesso. Princesa se divertiu com o passeio por Copacabana,

Ipanema e Leblon até chegar à Gávea. Tinha início, então, a segunda fase, que Espinosa temia especialmente, por não saber como Princesa reagiria ao ambiente da clínica, ao contato com os demais pacientes e às exigências mínimas de convívio social.

Combinaram que Ramiro ficaria na clínica até as seis da tarde daquele sábado, quando seria rendido por Espinosa, que permaneceria até as seis da manhã de domingo, quando então seria substituído por Welber. Espinosa achava que o primeiro dia seria crítico; uma vez ultrapassado, Princesa suportaria os dias seguintes sem maiores problemas.

Welber ficara encarregado de encontrar Jorge Carroça, único amigo de Isaías de que tinham conhecimento, e contar a ele que Princesa fora sequestrada e que o sequestrador só queria falar com Isaías e mais ninguém. Espinosa deu o número de seu próprio celular para servir de contato.

Em seu primeiro dia na clínica, só houve um problema: Princesa pediu que tirassem a cama do quarto e colocassem o colchão no chão, pois não estava acostumada a dormir em cama e tinha medo de cair durante a noite. Outro pedido foi que deixassem a luz do abajur ou a do corredor acesa à noite; afinal as luzes da rua não se apagavam quando ela dormia. No segundo dia, nem se preocupou mais em saber se seus amigos protetores estavam ou não na clínica. Na segunda-feira, já fizera amizade com os vizinhos de corredor e com os funcionários.

No quarto dia, uma terça-feira, Espinosa estava na delegacia quando recebeu no celular o telefonema de um homem que se dizia amigo de Isaías e queria ter notícias de Princesa.

— Diga ao Isaías para ele mesmo ligar para mim. Ele pode ligar a cobrar de um telefone público, que eu não tenho como saber de onde ele está telefonando. Diga para ligar o mais rápido possível. Cada dia que passa é um dia a mais de sofrimento para ela. — Jorge Carroça, amigo de

Isaías, não era muito bom em disfarçar a voz e nem sabia muito bem em que consistia um sequestro. Passada menos de uma hora, Isaías ligou.

— Delegado Espinosa, é o Isaías que está falando.

— Como vai, Isaías? Você está doente?

— Não. Eu estou bem. O senhor tem notícias da Princesa?

— Não, Isaías. A única coisa que eu sei é que ela foi levada por três homens. O único comunicado que recebemos dizia que eles só falam com você.

— O que eles querem falar comigo? Eu não tenho dinheiro pra dar pra eles.

— Eu acho que eles não querem o seu dinheiro. O que eles querem de você acho que é um objeto.

— Que objeto?

— Parece que eles estão querendo alguma coisa que a Princesa deixou com você.

— A Princesa não deixou nada comigo... Acho que o outro homem também estava querendo isso...

— Que outro homem?

— Um homem que ficou me seguindo por muitos dias... Aonde eu ia ele ia atrás...

— Eu vou me oferecer para ficar de intermediário entre você e os homens que estão com a Princesa. Vamos nos encontrar para você me contar sobre esse homem que estava te seguindo? Você não pode ficar fugindo dele a vida toda.

— Eles vão me pegar. Acho que não era só um, tinha mais de um.

— Conosco você estará seguro. Você está telefonando daqui do Rio?

— Estou.

— Diz um lugar, que eu vou me encontrar com você.

— Pode ser no Leme, na praça que tem em frente ao quartel do Leme.

— Você pode estar lá em uma hora?

— Posso... Acho que posso.

— Então eu encontro você lá.

Como Ramiro estava com a Princesa na Clínica Santa Eulália, Espinosa convocou Welber para ir com ele.

— Algum cuidado especial? — perguntou Welber.

— Não há necessidade. Ele está assustado e querendo proteção. Vamos pegar um dos carros de atendimento domiciliar, você vai dirigindo. Paramos perto da praça e eu vou me encontrar com ele. Proponho que a gente vá conversar dentro do carro, assim você fica como testemunha do que ele disser.

Chegaram meia hora adiantados e estacionaram o carro no começo da praça, do lado do mar. Eram três da tarde da terça-feira e havia pouco movimento no local. Espinosa desceu do carro e foi se sentar num dos bancos, onde estaria bem visível tanto se Isaías viesse pela avenida Atlântica como se viesse pela rua Gustavo Sampaio. Minutos depois, Isaías surgiu vindo da Gustavo Sampaio com um andar lento e cansado, fisionomia abatida — mesmo de longe, Espinosa notou seu desânimo. Espinosa se levantou e foi ao encontro dele. Achou estranho que um homem que sempre usara bermuda, camiseta e Havaianas estivesse vestindo calça e camisa de mangas compridas numa tarde ainda quente de verão. Quando chegou mais perto, viu que Isaías não estava bem.

— Boa tarde, Isaías. O que há? Não está se sentindo bem?

— Estou bem, agora não tenho mais febre e a dor nos braços melhorou.

— O que houve com você?

— Como está a Princesa?

— Não temos notícias dela.

— Vamos sentar? Fico cansado quando ando.

— Não sabia que você estava doente. O carro está estacionado logo ali. O inspetor Welber me trouxe. Vamos conversar no carro? É mais cômodo e assim ninguém nos perturba.

— Está bem.

Andaram uns vinte metros até o carro. Welber continuou na frente, no banco do motorista, enquanto Isaías e o delegado sentavam-se no banco traseiro, cada um junto a uma janela.

— O que aconteceu com você, Isaías?

— Fiquei doente, peguei febre por causa dos machucados no braço.

Isaías levantou a manga da camisa para mostrar os ferimentos. Havia cortes de diferentes tamanhos nos dois braços. Os cortes maiores tinham infeccionado e estavam cobertos com gaze, os menores estavam em fase de cicatrização.

— Quem fez isso?

— Um homem me cortou com uma faca... Queria me roubar... Mas eu não tinha nada para ele roubar. Depois a ferida inchou e eu fui no posto de saúde. O médico disse que eu precisava tomar antibiótico.

— Como isso aconteceu? — insistiu Espinosa.

— Não sei o que vai acontecer se eu contar. Foi uma coisa muito ruim.

— Você não está prestando depoimento, está apenas contando como foi o assalto. Onde ele aconteceu?

— Na obra. Eu não ia lá fazia uma semana. Queria pegar umas roupas que eu tinha deixado.

— Por que você abandonou seu emprego?

— Porque o homem que me cortou com a faca estava atrás de mim fazia um tempo. Aonde eu ia, ele ia. Quando eu chegava num lugar, ele estava lá. Ele não falava nada. Ele passava na obra quase toda noite e assustava os cachorros. Eu não conseguia dormir. Fiquei muitos dias sem dormir. Comecei a dormir de dia, mas ele passava e tocava a campainha. Eu estava começando a ficar maluco. Um dia, comprei um monte de chumbinho, comprei carne, fiz uma porção de bolinhas de carne e misturei chumbinho nelas. De noite, chamei os cachorros e contei pra eles o que eu ia fazer. Disse que precisava fazer aquilo porque eu ia embora e não podia levar eles comigo, que eles iam sofrer sozinhos e que eu não tinha ninguém para cuidar deles... Depois que conversei com eles, falei com um por um, desde os pequenos, que não entendiam nada, até os grandes, que já podiam entender o que eu estava dizendo. Depois, dei as bolinhas de carne pra eles comerem, dei várias bolinhas pra cada um... Ainda deixei umas espalhadas no chão. Não demorou muito eles morreram. Fiquei sentado olhando pra eles... parecia que eles estavam dormindo. Esperei até o dia clarear e fui até a delegacia dizer que tinham matado os meus cachorros. Não sei por que eu fiz isso. Só sei que não consegui ficar mais tomando conta da obra, pensava nos cachorros o tempo todo. Não podia ficar lá dentro sozinho pensando nos cachorros morrendo. Comecei a andar pelas ruas. Andava o dia inteiro e, quando eu chegava na obra pra dormir, não conseguia dormir. Então pedi ao Jorge Carroça se eu podia ir dormir na casa dele, mas precisei voltar na obra pra pegar as minhas coisas. Era de noite. Quando entrei no meu quarto, o homem estava de pé atrás da porta com uma peixeira na mão.

— Não teve como você fugir?

— Ele fechou a porta assim que eu entrei. Foi chegando perto, até que encostou a faca na minha barriga. O quarto é pequeno, eu não tinha como sair correndo. Ele disse para eu mostrar onde a mala estava escondida. Eu perguntei que mala. Ele espetou minha barriga e falou baixinho: "A mala que aquela princesa de merda deu pra você esconder...". Eu disse que eu não estava com mala nenhuma. Aí ele rasgou a minha barriga com a ponta da faca, eu me encolhi um pouco e ele cortou meu braço uma porção de vezes. Minha vista foi ficando confusa, meu braço e minha barriga estavam sangrando.

— Lá no quartinho não tinha nada para você pegar e se defender?

— Tinha uma cavadeira e uma enxada, mas ele estava

muito perto de mim e cada movimento que eu tentava fazer mais ele me furava com a faca. Uma hora ele desviou os olhos por causa de um barulho qualquer que ouviu, eu peguei a enxada que estava encostada na parede e bati a lâmina com toda a força na cabeça dele. A enxada pegou no pescoço do homem, e o sangue começou a esguichar. Ele caiu, ficou tremendo todo e morreu. Morreu que nem os cachorros.

— Você não bateu mais vezes nele com a enxada?

— Não. Depois que ele parou de estremecer, morreu. Fiquei pensando o que é que eu ia fazer, mas não conseguia nem pensar nada direito. Depois de um tempo, peguei enxada, pá e picareta, fui para a garagem, procurei um lugar onde a terra não estivesse muito dura e comecei a cavar. Não sei quantas horas eu cavei, meus braços doíam, mas eu queria abrir um buraco bem fundo. Quando achei que estava bom, voltei pro quarto e peguei dois sacos para entulho, botei um dentro do outro e comecei a enfiar pela cabeça do homem. Mas como o saco não cobria o corpo todo, só chegava até o joelho, peguei mais dois e fiz a mesma coisa, só que enfiando pelos pés, e aí os dois sacos cobriram até o peito dele. Peguei arame e passei duas vezes em volta da cintura dele e apertei bem firme com alicate. Depois peguei um carrinho de mão, botei o corpo dentro e levei até o buraco. Botei ele de comprido na beira do buraco e empurrei pra dentro. Voltei pro quarto, peguei a faca que ele usou pra me cortar e joguei também no buraco. E comecei a jogar de volta a terra que eu tinha tirado, socando com socador pra não ficar frouxa. Tive que parar de vez em quando para descansar e às vezes me dava tontura. Fiquei com medo de desmaiar. Depois de tapar o buraco, soquei bem a terra e espalhei o que tinha sobrado pela garagem. Então molhei com água e alisei bem o chão. Depois limpei e raspei o chão do quarto. Por fim tomei banho, lavei os cortes com sabonete, me vesti e fui pra rua. Já era quase meio-dia. Voltei pra casa do Jorge Carroça levando uma calça e duas camisas.

Welber olhou para Espinosa e para Isaías pelo retrovisor. O delegado olhava para ele no espelho enquanto Isaías olhava para baixo, visivelmente cansado pelo relato.

— E a mala? — perguntou Espinosa.

— Eu não sei de mala nenhuma.

20

— Como não sabe?!

— Doutor, eu não sei que mala é essa — respondeu Isaías.

— A mala que a Princesa pediu que você pegasse no estacionamento e guardasse.

— Também não sei de que estacionamento o senhor está falando.

— Alguma vez a Princesa te contou como foi que mataram um homem de madrugada na frente dela?

— Contou, mas disse que não tinha visto nada porque estava dormindo.

— Pois eu vou repetir o que ela me contou. Perguntei a ela por que você tinha fugido, se era porque estava com medo que fizessem com você o que fizeram com o sem-teto esfaqueado. Ela respondeu que não, porque você não tinha feito nada. Perguntei, então, se o sem-teto tinha feito alguma coisa. Ela disse que os sem-teto tinham levado as coisas do homem esfaqueado. Perguntei se eles não deixaram nada. Ela respondeu que não. Eu perguntei: "Nem a mala?". Ela se espantou e disse: "Como você sabe?". Eu disse que não sabia, que apenas havia imaginado que o homem tivesse acabado de chegar de viagem. Ela disse que era isso mesmo. E que a mala tinha ficado ali bem do lado dela e que depois ela se levantou e foi puxando a mala com rodinhas até o prédio onde há um pátio de estacionamento interno, e escondeu a mala atrás de um carro velho. Perguntei o que ela fez depois. Ela me disse que contou a você onde estava a mala e pediu que você a tirasse de lá e a guardasse. Eu perguntei: "E o Isaías pegou a mala?". Ela respondeu: "Não sei, ele nunca mais falou nada sobre isso". Foi isso que a Princesa me contou, Isaías.

Isaías ficou olhando para o delegado de boca aberta e olhar espantado, em seguida olhou para Welber pelo espelho retrovisor, e passou-se pelo menos um longo minuto sem que nenhum dos três dissesse nada.

— Delegado, eu não sei de nada disso. Agora estou entendendo por que ficaram me seguindo pelas ruas e por que aquele cara entrou no meu quarto com uma faca e me perguntou onde estava a mala, e eu sem saber de que mala ele estava falando.

— Ele se chamava Severino, pelo menos foi esse o nome que deu para a Princesa. Com certeza perguntou pela mala e ela disse que tinha dado a você.

— Princesa inventa uma porção de coisas, ela vive sonhando e acha que as coisas que sonhou são de verdade.

— Você acha que ela pode nem ter visto mala nenhuma na calçada? Que foi tudo sonho? — perguntou Espinosa.

— Se tinha mala na calçada, eu não sei, eu não estava lá... Só sei que não peguei mala nenhuma.

Isaías estava ofegante, visivelmente abatido e talvez com febre. Espinosa pediu que ele fosse à delegacia no dia seguinte para prestar depoimento.

— O senhor vai me prender?

— Não. Você vai repetir como o homem da faca o atacou em seu quarto e como você reagiu e o que fez depois. Uma pergunta, ainda: por que você enterrou o corpo?

— Porque eu vi que tinha matado o homem e fiquei apavorado. Eu não sabia quem ele era, só sabia que era alguém que estava atrás de mim fazia muito tempo. Minha cabeça estava muito enrolada. Eu queria acabar com tudo aquilo.

— Amanhã à tarde você vai à delegacia contar tudo o que aconteceu desde o momento em que o atacante ameaçou você com a faca até você enterrar o corpo. Mas antes vai ao Instituto Médico Legal fazer um exame de corpo de delito. O perito vai examinar seus ferimentos e emitir um laudo atestando que você foi vítima de agressão à faca.

Nessa mesma tarde, Espinosa e Welber levaram a Princesa de volta para seu ponto em Copacabana. Durante o trajeto de van, Espinosa contou que Isaías reaparecera, que os dois haviam conversado e que Isaías dissera ter ficado aquele tempo todo sem vê-la porque estava doente. Ainda não estava completamente curado, mas assim que ficasse bom iria visitá-la.

— Ele está machucado?

— Ele machucou os braços na obra e o machucado infeccionou, teve febre e precisou tomar antibiótico, mas está se recuperando.

— Eu sabia que tinha acontecido alguma coisa com ele. Isaías sempre me visitava, pelo menos todo fim de semana.

Depois dos três dias muito bem aproveitados na clínica, Princesa reassumiu seu posto na calçada da avenida Copacabana como se tivesse ido apenas tomar um café no botequim. O próprio afastamento de Isaías não parecia ter sido vivido por ela como um período muito longo.

Com base no depoimento de Isaías e nas investigações preliminares empreendidas pela equipe do delegado Espinosa e pela equipe da Homicídios, um inquérito policial foi instaurado na 12ª DP. O exame de corpo de delito realizado em Isaías e a necropsia feita em Severino confirmaram a descrição que ele fizera da agressão sofrida e de sua reação que resultara na morte de Severino. Os dois delegados concordaram que Isaías agira em legítima defesa e que poderia aguardar a conclusão do inquérito policial em seu próprio local de trabalho e de moradia, ficando proibido de se ausentar da cidade sem autorização.

Na sexta-feira à tarde, Espinosa foi ao encontro de Princesa para a conversa que, embora ele intuísse não ser a última, esperava fosse a definitiva para extrair dela os fatos ocorridos desde o assassinato do Estrangeiro até a ameaça de morte sofrida por Isaías e que resultara na morte de Severino.

Aparentemente, nenhuma das três mortes chegara a afetar Princesa nem de leve. Nem mesmo a de seu recente amigo Severino, ou a de seu colega sem-teto, ou o assassinato do Estrangeiro, cometido a poucos metros de onde ela estava sentada, pareceram tocar sua sensibilidade. Cada vez mais Espinosa concluía que Princesa não era uma pessoa que vivia em dois mundos, mas alguém que vivia num *único* mundo, o dela, e para quem o mundo dos outros não passava de um pano de fundo sem corpo, sem sangue, sem emoções. De vez em quando esse pano de fundo invadia seu mundo fantástico e a ameaçava, mas ela imediatamente transformava a ameaça real num componente inofensivo de seu mundo fantástico. As pessoas e as coisas desse mundo imaginário, ela vivia como incorporais, como puros acontecimentos que habitavam seu pensamento e sua narrativa, mas que careciam de uma existência real. Enquanto as outras pessoas habitavam o mundo de fora, Princesa habitava o de dentro, o mundo subjetivo de suas fantasias — ali era sua moradia.

Espinosa encontrou Princesa sentada no lugar de sempre, com suas sacolas e pedaços de papelão, como se os dias passados na clínica tivessem se tornado uma névoa, uma lembrança vaga sem correspondência com a realidade.

— Boa tarde, Princesa.

— Boa tarde, delegado. Que dia é hoje?

— Sexta-feira.

— Então não é dia do Isaías me visitar.

— Eu disse a você que ele está doente e que assim que ficar bom vem te ver, lembra?

— Lembro. É que eu não sabia se hoje era sábado.

— Sábado é amanhã, talvez ele ainda não esteja em condições de sair. Mas eu vim até aqui para ver se está tudo bem com você e também para falar sobre o Isaías.

— Você disse que ele tinha se machucado.

— Ele se machucou, sim, e o que aconteceu com ele tem a ver com a história que você me contou. Preciso saber se essa história é ou não é verdadeira, para que mais nada de ruim volte a acontecer com o Isaías.

— Que história?

— A história da mala.

— Que mala?

— A única mala sobre a qual conversamos até agora. A mala do Estrangeiro que morreu esfaqueado aqui na calçada.

— Mas eu já disse a você que não vi essa mala.

— O que você viu então naquela madrugada? Viu quando ele chegou?

— Vi.

— Ele chegou a pé ou de carro?

— Chegou de táxi.

— Quando ele desceu do táxi, trazia uma mala?

— Não me lembro.

— Faça um esforço. Quando ele saiu do táxi, não carregava nada na mão? Não puxava uma mala com rodinhas?

— Não lembro. Só lembro que ele era bonito e que estava de paletó branco.

— O que ele fez assim que desceu do táxi?

— Foi andando até aquele prédio ali.

— E depois?

— Depois voltou para a beira da calçada e ficou olhando para cima.

— Ficou olhando para o alto do prédio?

— Ficou.

— E o que mais?

— Acho que ele falou no celular.

— E depois?

— Depois não me lembro. Acho que os dois moradores de rua foram falar com ele.

— Que moradores de rua? Como eles se chamavam?

— Eu não sei o nome de nenhum deles.

— E aí? Os dois sem-teto foram falar com o Estrangeiro...

— Eu acho que eles brigaram com o homem.

— Brigaram de soco? Eles bateram no homem?

— Não, eles...

— Eles o quê?

— Eles... Ele... O homem caiu.

— E depois?

— Depois eles puxaram o homem para debaixo da marquise... Depois eu dormi.

— Mas logo você acordou de novo.

— Não sei. Acho que não.

— Quando puxaram o corpo dele para debaixo da marquise, não arrastaram também uma mala?

— Não lembro... nessa hora ele não estava mais com o paletó branco, e a camisa estava suja... Mas eu acho que a mala ainda estava por aqui.

— Onde exatamente? Na beira da calçada ou perto de você?

— Perto de mim.

— Foi nessa hora que você se levantou e levou a mala até o prédio vizinho?

— Também não me lembro. Acho que não levei a mala para o prédio.

— Então quem ficou com a mala?

— Ninguém.

— Mas tinha ou não tinha uma mala?

— Não lembro.

— Por que então você disse que tinha?

— Porque você disse.

— Quer dizer que a história do Isaías guardar com ele

a mala que você tinha levado para o estacionamento não é verdade?

— É verdade, sim. No meio da noite eu mandei um menino chamar o Isaías. Ele chegou na mesma hora. E eu disse para ele levar a mala antes que alguém roubasse.

— E ele levou.

— Deve ter levado.

— Você não falou mais com ele sobre isso?

— Não. Acho até que ele esqueceu.

— E você também esqueceu.

— É. Acho que esqueci.

— E do Severino, você se lembra?

— Lembro. Ele foi meu namorado. Mas também sumiu.

— Alguma vez você falou com ele sobre a mala?

— Não lembro. Tinha muita gente em volta quando ele veio me ver. Estava chovendo muito. Foi igual quando veio a minha amiga que também não voltou mais. A que me deu o batom. Já te mostrei o batom que ela me deu?

— Já. É muito bonito.

— Ela que me deu. Era o que ela estava usando. Ela era muito bonita. Loura como eu e também tinha olhos azuis.

— E ela perguntou alguma coisa sobre a mala?

— Pode ter perguntado, mas também não me lembro direito. Estava chovendo muito e as pessoas estavam todas debaixo da marquise. De repente ela sumiu.

— Está bem. Se eu tiver mais notícias do Isaías, venho te contar, e se você se lembrar de alguma coisa sobre a mala, mande alguém me chamar.

Espinosa não tinha mais esperança de conseguir alguma informação fiável de Princesa. De nada adiantava perguntar a ela sobre Isaías ou sobre os sem-teto. Eles eram verdadeiros, mas os acontecimentos nos quais estavam envolvidos eram fruto da lógica delirante de Princesa. Pegou o celular, ligou para a delegacia e mandou chamar Welber.

— Acabo de ter uma conversa com a Princesa e estou a caminho da delegacia. Encontro com vocês no meu gabinete.

Os três estavam sentados em torno da mesa do delegado.

— O que pretendo fazer — começou Espinosa — é a última jogada nessa história que ameaça chegar ao fim não porque deciframos o enigma da morte do Estrangeiro, mas porque quase todos os participantes da trama foram eliminados. Sobraram Isaías e a Princesa, sendo que a Princesa não é propriamente participante, mas uma testemunha imaginária.

Espinosa prosseguiu:

— O depoimento de Isaías e o que já conseguimos apurar foi suficiente para estabelecermos conjuntos isolados de eventos que não fecham. O assassinato do Estrangeiro e seu corpo saqueado; a morte do sem-teto; o ataque de Severino a Isaías, a morte de Severino e o enterro do corpo; o aparecimento de Laura Clemente... São acontecimentos que não formam uma unidade. Na minha opinião, a possibilidade de conseguirmos fechar esse caso depende do aparecimento do nosso objeto-fetiche: a mala. No entanto, ao que tudo indica, esse objeto não passa de fruto da minha imaginação. O depoimento de Isaías teria posto um ponto final nesse assunto.

— A não ser que... — começou Ramiro, adivinhando o próximo raciocínio de Espinosa.

— A não ser que Laura Clemente apareça — disse Espinosa.

— O senhor acha que isso pode acontecer?

— Não só pode, como tem de acontecer. Com a morte de Severino e com Isaías sob nosso controle, sobraram Laura e Princesa. Se Laura se empenhou tanto em resgatar o corpo do Estrangeiro e Severino investiu com tanta fúria sobre Isaías numa luta de vida ou morte, é porque alguma coisa, além do corpo já recuperado, eles esperavam encontrar. E digo esperavam, no plural, porque não tenho dúvida de que Severino agiu a mando de Laura, e ainda suponho que eles procuravam a mala. Essa mala deve conter alguma indicação da relação entre Laura e Artur... que é claro que não se chamam Laura Clemente nem Artur Clemente... mas vamos continuar empregando esses nomes para simplificar. Também não acredito que Laura e Artur sejam irmãos; acredito, isso sim, que sejam sócios ou amantes que combinaram se encontrar no Rio. Enfim, acredito que a mala existe e que contém a resposta para essas questões.

— E por que o senhor acha que Laura Clemente vai procurar a Princesa? — perguntou Ramiro.

— Porque se aproximou de Princesa explorando a vaidade dela, oferecendo pequenos presentes que a encantaram. Princesa não tem amigas, ou não tem amigas bonitas como Laura, e está fascinada por ela. Laura vai se aproveitar dessa admiração para obter informações. Por isso, vamos manter por mais alguns dias a campana em tempo integral de Princesa.

21

O domingo seguinte amanheceu com o céu sem nuvens, mar calmo e temperatura em elevação. O movimento dos banhistas que emergiam da estação do metrô e caminhavam em grupos em direção à praia chegava a ocultar Princesa da vista de quem passava de carro pela avenida Copacabana.

A banhista de bermuda, camiseta e chapéu, carregando uma bolsa de praia, parou na frente de Princesa e estendeu-lhe um pequeno embrulho. Princesa custou a perceber que sua amiga finalmente voltara, como prometido. Abriu alegremente o embrulho e lá dentro encontrou dois batons e dois blushes.

— Acho que você vai gostar desses — disse a recém-chegada.

— É o mesmo que você usa? — perguntou Princesa.

— O mesmíssimo. Você também tem a pele clara como a minha, então achei que ficaria bem em você.

— Adorei. Obrigada. Você demorou para voltar.

— É que eu precisei viajar para resolver uns problemas de família.

— Às vezes eu também preciso viajar para resolver problemas de família — disse Princesa.

— E para onde você vai quando viaja?

— Para o Sul. Eu tenho um filho de cinco anos lá. Ele mora com os meus pais.

— Um filho de cinco anos! Que lindo! Como é o nome dele?

— Vítor.

— Bonito nome. E os seus amigos, Isaías e Severino? É assim que eles se chamam? Como eles estão?

— Isaías se machucou na obra, ficou doente e com febre, agora não pode sair. O Severino nunca mais apareceu.

— Puxa, que pena. O que aconteceu com eles?

— Não sei direito. O delegado Espinosa disse que tem a ver com a mala.

— Que mala?

— A mala do homem que morreu aqui na calçada.

— Você viu um homem morrer aqui na calçada?

— Não. Na hora que mataram ele eu estava dormindo. Acordei com os sem-teto arrastando o corpo para debaixo da marquise e tirando as coisas dele.

— E a mala?

— Ela ficou largada ali na calçada depois que eles fugiram.

— E aí?

— Aí o homem tinha morrido e os sem-teto tinham fugido... A mala não tinha mais dono. Então eu levei ela para o estacionamento aqui ao lado, tinha rodinhas, não precisei fazer força.

— E ela está lá no estacionamento até hoje?

— Não, eu pedi que o meu namorado, o Isaías, ficasse com ela; ele podia aproveitar as roupas.

— E ele ficou com a mala?

— Depois nós não falamos mais disso.

— Você contou essa história para o seu amigo delegado?

— Não me lembro o que eu disse para ele. Sei que disse que estava dormindo quando os sem-teto mataram o homem, que eu só tinha visto eles tirando as coisas dele.

— E o delegado Espinosa não perguntou mais nada?

— Perguntou. Ele vem me ver quase todo dia e sempre faz alguma pergunta. Ele sempre me traz café com pão. Foi ele quem me disse que o Isaías tinha se machucado por causa da mala.

— Se você quiser, posso procurar o Isaías para saber o que aconteceu e se agora ele está bem. Você sabe onde ele mora?

— Ele é vigia de uma obra na rua Santa Clara. É perto daqui. Passando a rua Tonelero. É uma obra parada, ele toma conta. É lá que ele mora.

— Eu vou conversar com ele e depois volto para te contar o que houve. Mas é melhor você não comentar nada com o delegado Espinosa. Ele pode não gostar.

— Você vai voltar?

— Claro que vou.

— Eu ainda não sei o seu nome — disse Princesa.

— Eu me chamo Maria.

Assim que Laura se afastou, Welber e o inspetor Paulo, que observavam a cena do outro lado da rua, entraram em ação.

— Vamos — disse Welber. — Você vai por um lado da rua e eu pelo outro. Se ela pegar um táxi ou outro meio de transporte, nós a seguimos separadamente. Se um de nós perdê-la de vista, se comunica imediatamente com o outro pelo celular. Verifique se o seu celular está ligado.

Em seguida ligou para o delegado Espinosa.

— Delegado, Laura Clemente apareceu.

— Tem certeza?

— Tenho. Ela aproveitou a movimentação toda dos banhistas e chegou como se também estivesse indo para a praia, parou em frente da Princesa e lhe entregou um pacotinho. Parecia um presente. As duas conversaram por uns dez minutos e ela seguiu em direção à praia, só que, em vez de atravessar a avenida Atlântica, dobrou à direita no calçadão e continuou andando na direção do posto seis. Eu e o Paulo estamos na cola dela.

— Ótimo. Qualquer coisa volte a me ligar. Quero que vocês a sigam e me mantenham informado.

Depois de andar quatro quadras, Laura dobrou à direita na rua Santa Clara. Quando atravessou a avenida Copacabana e continuou subindo a Santa Clara, Welber se deu conta de que Princesa devia ter dado a ela o endereço de Isaías e que ela estava procurando um prédio em obras. Telefonou para Espinosa.

— Delegado, estamos subindo a rua Santa Clara. Ela está procurando o prédio do Isaías.

— Fique na cola, mas não deixe que ela te veja. Ela já te conhece da delegacia.

Os dois inspetores continuaram seguindo Laura pela rua Santa Clara, no contrafluxo dos carros e dos pedestres. Por fim ela parou em frente ao tapume da obra, procurou de um lado e do outro do portão, encontrou o orifício com uma argolinha pendurada do lado de fora, puxou a cordinha e tocou a campainha. Precisou tocar mais duas vezes até Isaías aparecer. Trocaram algumas palavras ali mesmo e em seguida, aparentemente por insistência dela, entraram e Isaías fechou o portão. Welber e Paulo se aproximaram do tapume, mas não havia como ver ou ouvir o que se passava lá dentro. Welber atravessou a rua e ficou protegido por uma caçamba de entulhos, enquanto Paulo permanecia ao lado do portão. Passou-se uma hora sem perceberem movimentos ou sons no interior da obra. Welber chamou Paulo pelo celular e combinaram que se Isaías saísse sem Laura, Paulo seguiria Isaías enquanto ele, Welber, entraria na obra. Passados vinte minutos, o portão se abriu e Laura Clemente saiu sozinha. Isaías passou a corrente no portão e voltou para dentro. Laura desceu a rua Santa Clara sem se mostrar preocupada em estar sendo vigiada. Welber a seguiu à distância, enquanto o inspetor Paulo permaneceu vigiando a obra.

Em seguida, Isaías saiu e também desceu a rua Santa Clara, como se estivesse seguindo Laura. Porém, depois de percorrer dois quarteirões, entrou numa padaria, pediu um sanduíche para levar e retornou à obra. O inspetor Paulo comunicou o movimento de Isaías ao delegado, que o autorizou a comer também alguma coisa e depois voltar sem demora à campana de Isaías.

Laura Clemente desceu a rua Santa Clara até a avenida

Atlântica, como se estivesse indo para a praia; lá, dobrou à esquerda e entrou no hotel Califórnia, logo depois da esquina. Welber comunicou ao delegado.

— Pergunte na portaria qual é o apartamento dela e com que nome ela se registrou — disse Espinosa.

Passados quinze minutos, Welber voltou a ligar.

— Delegado, não tem nenhuma Laura hospedada no hotel. Falei com o chefe da recepção, descrevi Laura e disse a ele para procurar, entre as mulheres hospedadas sozinhas, qual a que correspondia à minha descrição. Ele me disse que a única que poderia ser ela, mas ele não se lembrava se era loura, porque ela estava sempre de chapéu e óculos escuros, não se chamava Laura, e sim Maria Limme, com dois emes, ele disse. Ela fechou a conta hoje às nove horas e deixou o hotel. Então eu disse que tinha acabado de vê-la entrar no hotel não fazia nem quinze minutos. Ele respondeu que ela pode ter entrado pela portaria e saído pela saída dos banhistas, deixando o hotel enquanto eu e ele estávamos na portaria.

— Encontre-se comigo na obra do Isaías — disse Espinosa. Em seguida telefonou para o inspetor Paulo.

— Paulo, volte imediatamente à calçada da obra e fique atento a um possível reaparecimento de Laura Clemente.

— Já estou aqui, delegado. Até agora ela não voltou.

Quinze minutos depois, Espinosa e Welber juntaram-se a Paulo na rua Santa Clara. O portão do tapume estava fechado. Tocaram a campainha e, tal como acontecera com Laura Clemente, tiveram que tocar mais duas vezes. Só que dessa vez não foram atendidos. Tocaram outras vezes e, quando decidiram forçar o cadeado, viram que ele não estava trancado.

Isaías não estava no quarto. Examinaram a garagem, a área externa, subiram três andares, chamaram o nome dele, voltaram ao quarto, mas não encontraram nada. Assim como Laura Clemente — ou Maria Limme —, Isaías sumira.

— Ele deve ter saído enquanto eu fui comprar o sanduíche. Mesmo assim, fiquei o tempo todo prestando atenção às pessoas na calçada. Posso garantir que por mim ele não passou. Deve ter subido a Santa Clara em vez de descer — disse Paulo.

— Isaías vai voltar para a obra — disse Espinosa. — O que precisamos descobrir é para onde foi Laura Clemente. Segundo o recepcionista, ela foi embora do hotel às nove da manhã, levando uma mala. Claro que ela não ficou andando de um lado para outro com essa mala.

— Quando ela foi falar com a Princesa, às dez e pouco, já não estava com a mala — lembrou Welber —, sinal de que deve tê-la guardado por perto.

— Se às dez e pouco ela estava conversando com a Princesa, teve uma hora para guardar a mala e trocar de roupa. Pode ter se hospedado em qualquer hotel menor perto dali — sugeriu Espinosa. — Outra questão: será que o fato de ela e Isaías terem sumido ao mesmo tempo significa que eles combinaram alguma coisa? Ela ficou uma hora e meia com ele na obra; devem ter feito algum acordo.

— Vamos atrás dela ou do Isaías? — perguntou Paulo.

— A única coisa que podemos fazer em relação a Isaías é esperar que ele volte para a obra. Quanto a Laura, vamos percorrer os hotéis que estariam ao alcance dela. Provavelmente ela se hospedou em algum hotel das proximidades entre nove e quinze e nove e quarenta e cinco. Vamos descendo até a avenida Atlântica, cada um de nós fica com uma sequência de quadras e verifica hotel por hotel. Quem encontrar alguma coisa, liga para os outros dois.

Isaías viu o policial perto do tapume quando fechou o portão, depois que Laura saiu. Precisava falar com Jorge Carroça, mas não podia sair com aquele sujeito vigiando do outro lado da rua. Resolveu dar um tempo, porque com certeza o cara não ia ficar a tarde toda plantado lá. Isaías não tinha relógio e nunca se preocupara em contar as horas. Sabia que devia ser mais de meio-dia porque estava com fome. Deixou passar mais ou menos uma hora e decidiu ir até a padaria comprar um sanduíche. O homem continuava lá, vigiando. Quando voltou da padaria e entrou na obra, olhou pelo buraco do portão e viu o homem falando ao celular e logo depois descendo a rua. Isaías abriu o portão, foi até a calçada e o viu entrar na mesma padaria aonde ele tinha ido; pegou então seu pacote com o lanche e saiu imediatamente na direção oposta. Dali até a casa de Jorge Carroça era menos de quinze minutos a pé. Acelerou o passo para escapar do policial de Espinosa, que podia sair da padaria a qualquer momento, e chegou ao final da rua Santa Clara sem ser visto por ele. Dobrou à direita em direção à Siqueira Campos e foi andando com calma, carregando seu embrulho com o sanduíche. Dona Laura fizera um trato com ele: se tivesse dinheiro na mala, qualquer que fosse a quantia, ela prometeu dar a Princesa, para ela cuidar da saúde e guardar o que sobrasse para as emergências. Disse que não queria dinheiro para si própria, queria apenas pegar as coisas do irmão que estavam na mala. E assim ficariam todos livres daquelas perseguições e mortes que a mala havia causado, tinha dito dona Laura. E ela ainda podia dar algum dinheiro para o Jorge Carroça, que tinha guardado a mala. Foi assim que eles acertaram. E combinaram se encontrar no final da tarde na obra, quando ele ia levar a mala... Isso se o delegado e os homens dele não aparecessem por lá.

Jorge Carroça morava numa pequena travessa que ligava a Siqueira Campos à ladeira dos Tabajaras. Era mais uma servidão, um terreno baldio comprido ocupado por casebres de chão de terra batida e teto de zinco e telha. As casas não tinham número, mas a de Jorge era facilmente identificável pelo burro sem rabo estacionado ao lado da porta. Era domingo e Isaías pensou que Jorge devia estar dormindo depois de ter tomado umas cervejas para acompanhar o feijão com farofa e linguiça. Era o que ele comia todos os domingos.

A casa de Jorge Carroça tinha dois cômodos separados

por uma meia parede de madeira. O primeiro era a sala, onde havia uma mesa e duas cadeiras, e o outro cômodo era o quarto. A porta da casa só fechava por dentro, com uma tramela; o quarto não tinha porta, apenas uma cortina de pano. Quando Jorge saía, fechava a porta pelo lado de fora com cadeado, providência que na verdade ele só passou a tomar depois que Isaías o encarregou de guardar a mala. A porta estava apenas encostada quando Isaías chegou. Ele entrou, olhou dentro do quarto e viu Jorge dormindo de bruços com um braço para fora da cama. Sentou na cadeira da sala, a que não estava com o pé quebrado, abriu o pacote com o sanduíche que tinha comprado na padaria e ficou olhando para o local onde costumava ficar a mala que servia para escorar a outra cadeira que não tinha uma perna. A mala não estava lá. Jorge devia tê-la levado para o quarto, pensou Isaías, lugar mais seguro do que ali na sala, à vista de qualquer um que entrasse na casa. Botou a cabeça para dentro do quarto outra vez, mas não conseguiu ver onde Jorge havia escondido a mala. Talvez embaixo da cama. Isaías, porém, não estava com pressa; estava acostumado a esperar o tempo passar, era o que ele fazia o tempo todo na obra. Comeu seu sanduíche lentamente e ficou esperando Jorge acordar. A casa era animada pelos ruídos da vizinhança: vozes da televisão, música de rádio, crianças jogando bola, latido de cachorro. Essa sinfonia embalava o sono de Jorge Carroça. Isaías havia deixado a porta aberta para diminuir o calor dentro da sala. Na casa em frente tinha uma mulher na porta falando com as crianças. Isaías foi até lá.

— Boa tarde, moça, pode me dizer as horas?

— Faltam quinze para as três.

— Então acho que já posso acordar o Jorge.

— Ele ainda não dormiu quase nada agora à tarde, porque a moça veio chamar ele não eram nem duas horas.

— Moça? Que moça?!

— Uma moça que chegou de táxi. Não demorou nem

quinze minutos e saiu puxando uma mala. O táxi ficou esperando por ela na porta.

Isaías correu para acordar Jorge Carroça. Entrou no quarto e chamou pelo amigo. Nenhuma resposta. Foi até a cama e sacudiu o braço dele. Jorge não se mexeu. Isaías abriu a janela, sacudiu mais ainda o amigo, ao mesmo tempo que chamava o nome dele. Jorge Carroça continuou imóvel. Isaías gritou pela moça da casa em frente e disse que o amigo estava morrendo. Perguntou se ela tinha um celular. Pegou na carteira o cartão que o delegado Espinosa havia deixado com ele e pediu pra moça ligar.

Quinze minutos depois, o delegado Espinosa e o inspetor Welber entravam na casa. A ambulância chegou logo depois e levou Jorge Carroça inconsciente na maca.

Welber acompanhou Jorge na ambulância até o hospital Miguel Couto. Na Emergência, os médicos disseram que os sintomas eram de envenenamento por gás e que o estado dele era grave; teria que ir para a UTI, era tudo que podiam dizer por enquanto. O médico da UTI quis saber o que havia acontecido. Welber contou que o amigo tinha sido vítima de um assalto dentro de casa e que fora encontrado de bruços, como se estivesse dormindo, e que a agressão devia ter acontecido por volta das duas da tarde.

— Pelo tempo de ação e pela intensidade da substância, eu diria que ele foi atacado com um spray BZ — disse o médico. — É um benzilato... É muito forte e pode causar a morte se for aplicado seguidamente.

— Ele vai sobreviver, doutor?

— Ele é forte. Os exames vão fornecer dados mais precisos. Enquanto isso, ele vai ficar no oxigênio e no soro. Temos que esperar.

Isaías contou a Espinosa o trato que Laura fizera com ele: a doação de todo o dinheiro que houvesse dentro da mala para Princesa e que ela, Laura, ficaria apenas com os objetos e documentos do irmão; e que os dois se encontrariam no final da tarde daquele domingo, na obra, para abrir a mala juntos e fazerem a divisão... Ela garantiu que a polícia não precisava estar presente.

— Por que você mentiu para mim quando disse que não sabia de mala nenhuma? — perguntou Espinosa.

— Porque fiquei com medo que a polícia fosse prender quem tivesse apanhado a mala. Aí achei que iam levar a Princesa para a cadeia, então pedi que o Jorge Carroça guardasse a mala pra mim.

— E o que tem dentro da mala?

— Nunca abri... Estava trancada com um cadeado... Princesa disse que devia ter roupa.

— Laura Clemente não vai voltar à obra — disse Espinosa. — Ela já tem a mala, não precisa voltar para dividir coisa nenhuma. O que precisamos fazer é impedir que ela saia da cidade.

O celular do delegado começou a tocar antes de ele terminar a frase. Era o inspetor Paulo, que continuara procurando o hotel para onde Laura pudesse ter se mudado.

— Delegado, acho que encontrei. Ela foi para um hotel que fica na rua de trás de onde estava hospedada, e na mesma quadra; nem precisou mudar de calçada. A descrição não fecha em todos os detalhes, mas não tenho dúvida de que é ela.

— Ela está no apartamento?

— Não. Desceu antes das duas.

— Foi embora do hotel?

— Parece que não. Pelo menos, não fechou a conta.

— Pegue um táxi e vá para o Santos Dumont. No caminho, ligue para o aeroporto, chame o chefe da segurança e peça a ajuda dele. Se a encontrar na sala de embarque ou em qualquer outro lugar, detenha-a. Enquanto isso eu vou para a rodoviária.

Espinosa mandou que um carro da delegacia fosse pegá-lo com a máxima urgência.

No caminho para a rodoviária, Espinosa ligou para Welber, a fim de saber como estava Jorge Carroça e para informá-lo de que estava indo para a rodoviária atrás de Laura Clemente. Tarde de domingo, movimento grande e inúmeras filas nas áreas de embarque dos destinos mais procurados. São Paulo era onde se concentravam mais ônibus e mais gente. Espinosa foi percorrendo os pontos de embarque para São Paulo de cada companhia, na esperança de encontrar Laura Clemente. Não a viu em nenhuma fila. Passou, então, a entrar nos ônibus que estavam de partida, percorrendo rapidamente cada assento. Assim que entrou em um dos veículos, viu de relance uma figura feminina indo para o banheiro na parte traseira do veículo. Espinosa foi até o motorista, identificou-se e pediu que ele esperasse a passageira sair do banheiro antes de partir. Como se passaram alguns minutos sem que ela saísse, o motorista foi até o banheiro, bateu na porta e perguntou se estava havendo algum problema. Laura Clemente abriu a porta e saiu sem dizer nada. O delegado pediu que o motorista retirasse a mala dela do bagageiro.

Laura Clemente não disse uma única palavra desde que saíram da rodoviária, na praça Mauá, até chegarem à 12ª DP, em Copacabana. Ela tinha trocado a bermuda, a camiseta e o chapéu, com os quais tinha sido vista pelo inspetor Welber, por um vestido simples e de cor neutra, nada chamativo.

Somente quando entraram no gabinete do delegado Espinosa, Laura perguntou:

— Eu estou sendo presa?

— Ainda não. Esta será uma entrevista preliminar, mas a partir deste momento você tem o direito de ficar em silêncio.

— De que estou sendo acusada?

— Isto ainda não é um indiciamento. Mas posso adiantar que agressão com gás de benzilato, conhecido como spray BZ, é um crime inafiançável, no seu caso ainda foi seguido de roubo. Dependendo do que acontecer com Jorge Carroça, que está na UTI do Hospital Miguel Couto, a acusação pode se tornar mais grave.

— Agressão? Eu é que fui agredida por ele e me defendi como podia. Não usei arma de fogo, não usei faca, apenas recorri a um spray defensivo. Se ele passou mal com o spray, lamento muito. É um instrumento de defesa vendido em lojas dos Estados Unidos.

— Você diz que foi agredida, mas estava dentro da casa dele. Foi levada para lá à força?

— Não. Fui por vontade própria e sozinha.

— E então?

— Ele tinha bebido e de repente se tornou inconveniente... quis me agarrar, me empurrou para dentro do quarto... Eu tirei o spray da bolsa e esguichei no rosto dele.

— Com que objetivo você foi à casa dele?

— Fui buscar um objeto que me pertence de direito: a mala do meu irmão.

— E como você sabia que a mala estava lá?

— Delegado, você está procurando essa mala há mais de um mês e não foi capaz de encontrá-la. Eu encontrei. Não estou aqui para ensiná-lo a encontrar objetos roubados — respondeu ela, provocativa.

— Se você encontra seus objetos roubados matando, agredindo violentamente as pessoas, roubando, usando de falsidade ideológica, *et cetera*, então você não tem mesmo nada a me ensinar. Dispenso suas aulas.

Apreensiva, Laura olhava continuamente para a porta envidraçada como que à espera da entrada súbita de uma pessoa indesejada.

Após um breve silêncio, Espinosa prosseguiu:

— Como eu disse, esta é uma entrevista preliminar; ainda não é um indiciamento. Por que não recomeçamos e vamos desfazendo aos poucos todas as dúvidas?

— Era o que eu pretendia, mas você foi logo me acusando de roubo, agressão...

— O que então você queria me dizer?

— Primeiro eu queria me desculpar. Logo depois que cheguei a São Paulo e que cremamos o corpo de Artur, eu mudei de endereço e de telefone, e não comuniquei a você, como devia ter feito. Foram dias difíceis, não só pela morte do meu irmão e pelo estado de desamparo em que fiquei, como também pelo sofrimento de meus pais com a perda do filho.

— Seus pais? Também procurei por eles, mas a Unicamp me informou que eles não faziam parte do corpo docente.

— Nunca fizeram. Eles eram bolsistas quando foram fazer a pós-graduação na Califórnia, e bolsistas não pertencem ao corpo docente.

Espinosa ficou pensando na resposta rápida dela e na mudança de tom.

— E como você soube que eu tinha voltado ao Rio? — perguntou Laura.

— Por causa de uma outra loura de olhos azuis... exatamente como o seu disfarce de agora.

— Princesa?

— Isso mesmo. E como chegou até ela? — perguntou Espinosa.

— Você já havia tocado no nome dela, depois ouvi comentarem que uma moradora de rua que faz ponto sob a marquise tinha presenciado o crime. Imaginei que ela pudesse me dizer alguma coisa sobre os objetos do meu irmão, principalmente a mala.

— E como você sabia da mala?

— Meu irmão nunca viajava sem mala. Além do notebook, levava roupa suficiente para passar vários dias fora. Eu queria recuperar o notebook.

— E a Princesa disse onde estava a mala?

— Não. A única coisa que ela disse, e mesmo assim depois de eu dar a ela o meu batom, foi que havia contado ao namorado dela, um homem chamado Isaías, sobre o que tinha acontecido naquela noite.

— Por que você disse a ela que se chamava Maria?

— Eu não pretendia mentir. É que ela acabou perguntando o meu nome e, pega de surpresa, eu disse Maria. Não queria dar meu verdadeiro nome.

— Mas você também se registrou no hotel como Maria Limme.

— Eu não queria que ninguém soubesse que eu estava aqui, inclusive você, enquanto não recuperasse a mala do meu irmão.

— E você achou que Princesa seria o caminho mais curto para isso.

— Achei que ela podia ser o ponto de partida.

— Ela e Isaías — acrescentou Espinosa.

— Quem me falou de Isaías foi a Princesa. Quando ela viu os presentes que eu trouxe, ficou tão feliz que acabou me contando que a mala do meu irmão estava com Isaías e me deu a indicação de onde ele morava. Fui procurá-lo imediatamente.

— Por que tanto interesse na mala? Por que voltar aqui só para encontrá-la?

— Meu irmão era um homem de negócios... Eu precisava saber em que pé as coisas dele estavam... se havia pendências, se havia alguma transação a ser concluída... Além, claro, de que havia ali coisas dele.

— E o Isaías confirmou que estava com a mala?

— Ele disse que não tinha ficado com mala nenhuma. Eu insisti que estava com ele, que a Princesa tinha me dito que havia dado a mala para ele guardar. Discutimos muito, e no fim eu disse que ele não tinha o direito de se apossar de uma coisa que não lhe pertencia.

— Na discussão ele falou sobre o Severino?

— Que Severino?

— O homem que te acompanhava quando você esteve aqui.

— Não vim com nenhum homem. Cheguei e fui embora sozinha.

— Um homem alto e forte surgiu quando você chegou ao Rio e desapareceu quando você foi embora.

— Não tenho a menor ideia de quem seja.

— Muito bem. E como terminou sua conversa com Isaías?

— Terminou como começou. Ele dizendo que não sabia de mala nenhuma. Parece que já foi agredido por causa dessa mala. Está com os braços feridos. Em certo momento ele começou a chorar. Fiquei sem jeito, aquele homem enorme chorando na minha frente e eu sem saber o que fazer. A impressão que ele me deu foi de uma pessoa com os nervos à flor da pele. Achei que ele não sabia mesmo nada sobre a mala.

— Por que você trocou de hotel no meio da manhã?

— Porque eu estava sendo seguida. Um dos homens que me seguiam eu percebi que era o seu auxiliar, mas o outro eu nunca tinha visto... Fiquei assustada.

— Qual é o seu verdadeiro nome: Laura Clemente ou Maria Limme?

— Maria Limme não existe, é um nome que uso quando não quero ser identificada.

— E houve algum motivo especial para isso?

— Era comum meu irmão pedir que eu dividisse com ele certas tarefas, tanto comerciais como sociais, quando ele fazia negócios em São Paulo ou no Rio, e nem sempre era conveniente saberem onde eu estava hospedada. Daí o nome Maria Limme.

— Qual a natureza da transação que Artur Clemente veio realizar aqui no Rio?

— Não sei o que ele veio fazer no Rio dessa vez. Nem sabia que ele estava aqui, por isso demorei para ir à delegacia.

Espinosa estendeu a ela a foto de Severino:

— Conhece essa pessoa?

Espinosa percebeu o choque dela. Laura demorou alguns segundos para responder.

— Não, nunca vi.

— Olhe mais uma vez, é a foto de um homem morto... a fisionomia fica um pouco modificada.

— Nunca vi esse homem.

— O nome dele é Severino, de quem falei com você há pouco. Esse foi o nome que ele deu a Princesa quando a procurou. Mas também podia estar usando um nome falso...

— Não conheço esse homem.

— Foi o homem que atacou Isaías à faca, o feriu em vários lugares e... acabou sendo morto por ele.

Houve um breve silêncio, quebrado pelo toque do celular de Espinosa. Era um chamado de Welber. O delegado saiu da sala para atender.

— Delegado, o Jorge Carroça recuperou a consciência. Parece que não houve nenhum dano grave. Ele vai ficar internado até amanhã, quando os médicos dirão se ele pode ir para casa. E Laura Clemente, está cooperando?

— Não, mas temos bastante tempo para romper as defesas dela.

— Já estou indo para aí.

Antes de retornar ao gabinete, Espinosa pediu uma garrafa de água mineral e uma garrafa térmica com café.

A mala estava encostada na parede mais próxima da mesa do delegado, trancada com um cadeado de segredo com uma sequência de quatro algarismos. Em cima dela estava a bolsa de Laura Clemente.

— Onde está o spray? — perguntou Espinosa.

— Joguei fora.

— Onde?

— Joguei pela janela do táxi quando estava indo para a rodoviária.

— Não pense que com isso você se livrou da acusação de agressão seguida de lesão grave... ou mesmo do flagrante delito. Não se esqueça que a vizinha do Jorge Carroça viu você chegando sem a mala e saindo com a mala.

— O que você está querendo dizer?

— Não estou querendo dizer... estou *dizendo*: sobre você pesam também suspeitas que não se restringem a este caso. A Polícia Federal recebeu da polícia americana cópias de vários passaportes que o seu suposto irmão utilizou com diferentes nomes e diferentes nacionalidades. Assim como ele, você mesma acabou de confessar que às vezes adota o nome de Maria Limme, e isso é crime de falsidade ideológica.

— Delegado, não se esqueça de que no caso do meu irmão, que se arrasta por mais de um mês, ele é a vítima e não o criminoso.

— Pode ser, mas até agora não sabemos se Artur Clemente é de fato seu irmão, qual o verdadeiro laço que une vocês dois, por que ele usava nomes falsos e se deslocava com tantos cuidados, o que ele levava dentro da mala, além de não haver nenhuma indicação externa de aquela mala realmente pertencer a ele — concluiu Espinosa, apontando para a parede.

Laura ficou olhando o delegado com ar desafiador.

— Delegado, eu repito: o verdadeiro nome do meu irmão é Artur Clemente. Os documentos que apresentei ao senhor têm a autenticação do governo dos Estados Unidos e o reconhecimento do consulado americano em São Paulo...

— A autenticidade desses documentos está sendo verificada — interrompeu Espinosa.

— Quanto às viagens dele, elas eram cercadas de cuidados especiais — continuou Laura — por causa da natureza do material que ele negociava. Agora, o que ele levava dentro dessa mala, nessa viagem, eu desconheço.

— E qual é a natureza do material que ele negociava?

— Eu sou obrigada a dizer?

— Agora não... Mas poderia tornar seu inquérito menos pesado.

Laura refletiu por algum tempo.

— Ele negociava armas.

— Comércio legal ou ilegal?

— Isso eu não sei dizer.

— Quem é o contato dele aqui no Rio?

Laura silenciou novamente. Olhou para a mala, olhou para Espinosa, que disse:

— Se é difícil para você, lembre que, quando abrirmos

aquela mala, o que agora é segredo deixará de ser. E ela será aberta assim que o inspetor Welber chegar.

— O senhor não pode abrir essa mala! Ela pertencia ao meu irmão. Ele morreu. Agora ela me pertence.

— Não estou reivindicando a mala para mim, mas como delegado responsável pela investigação tenho o direito de abri-la e de retê-la como um elemento material do inquérito. Além do mais, nada prova que essa mala estava com Artur Clemente. Tudo que sei dela é que você a roubou da casa do Jorge Carroça. Mas volto à pergunta: Quem é o contato do seu irmão aqui no Rio?

— O que isso tem a ver com o caso atual?

— Não há um caso atual e um caso passado. Há apenas um único caso com vários eventos. Então? Quem é o contato?

— Severino. O homem que Isaías matou.

— Severino era o nome verdadeiro dele?

— Ninguém nunca soube qual era o verdadeiro nome dele.

— O homem de ligação... Daí o interesse dele pela mala. Por que você disse que não o conhecia quando perguntei sobre ele e lhe mostrei a fotografia?

— Porque para mim o importante era encontrar o assassino do meu irmão e não saber quem era o Severino.

— Ele é daqui do Rio?

— Ele não tinha moradia fixa. Vivia se deslocando pelo país, ficava em hotéis, não tinha família nem amigos.

— Você parece conhecê-lo muito bem.

— Fazia alguns anos que ele e meu irmão se conheciam.

— Foi ele quem matou o sem-teto aqui perto, no estacionamento?

— Não sei de que sem-teto você está falando.

— O que matou seu irmão e que ficou com o celular dele.

— Severino era um homem frio, não era movido pela emoção. Não iria agir por vingança.

Espinosa registrava as mudanças de estilo de Laura Clemente.

Suspendeu por instantes o interrogatório, saiu do gabinete e fez duas ligações internas: a primeira para o gabinete de uma inspetora que estivesse de plantão; a segunda, para o inspetor Paulo, que ele designara para ficar com Isaías na obra, ordenando que trouxesse Isaías à delegacia imediatamente. Depois, retornou ao seu gabinete.

Passado um instante, uma mulher jovem de jeans, camiseta e arma na cintura pediu licença para entrar.

— Inspetora Marisa, talvez dona Laura queira ir ao lavatório ou precise de alguma coisa. Você pode acompanhá-la, por favor? Antes, verifique o conteúdo da bolsa dela.

Laura aceitou a sugestão do delegado, porém mostrou-se contrariada com a revista de sua bolsa. Ao saírem do gabinete, Laura cruzou com Welber na porta, mas não se falaram. O inspetor entrou e repetiu ao delegado a notícia que havia dado por telefone sobre Jorge Carroça ficar em observação até a manhã seguinte. Welber viu a mala e a bolsa de Laura Clemente encostadas na parede.

— É a mala — disse Espinosa. — Igual a milhares de tantas outras. Não tem a etiqueta de identificação do proprietário do lado de fora, mas está com o tíquete do setor de bagagens colado nela, e ele corresponde à outra metade que Artur Clemente tinha no bolso. Está trancada e o cadeado é de segredo, uma combinação numérica libera a alça. Laura não tem a senha; se tivesse, já teria aberto a mala e se livrado dela. Você consegue abrir o cadeado aqui mesmo?

— Acho que sim. Se eu não conseguir, posso cortar a alça do cadeado com um alicate.

A garrafa térmica com café e a garrafa de água mineral foram trazidas e depositadas na mesa.

Welber tentava abrir o cadeado quando Laura voltou acompanhada da inspetora.

— Obrigado, inspetora — disse Espinosa. E voltando-se para Laura: — Creio que você já conhece o inspetor Welber.

Laura apenas olhou para Welber sem dizer nada. Ele tampouco demonstrou qualquer interesse por ela e continuou mexendo no cadeado. Passado algum tempo, deu-se por vencido.

— Delegado, esse é dos bons, não abre com facilidade. Vamos ter que usar o alicate.

— Pode prosseguir.

Welber saiu da sala e voltou com um alicate desproporcionalmente grande em comparação ao cadeado.

Antes de o delegado autorizar a abertura da mala, o inspetor Paulo chegou, acompanhado de Isaías. Assim que os dois entraram na sala, Laura Clemente levantou-se num movimento automático e logo tornou a se sentar, pálida, o olhar cravado em Isaías.

Espinosa fez o vigia se sentar na cadeira ao lado dela, ambos de frente para ele. Welber estava sentado numa cadeira encostada à parede, com a mala entre as pernas e o alicate em uma das mãos. Espinosa olhou para Isaías, apontou para a mala e perguntou:

— Foi essa a mala que você entregou para o seu amigo Jorge Carroça guardar?

Welber empurrou a mala para a frente e para mais perto do vigia.

— Foi — respondeu Isaías.

— Você abriu ou tentou abrir a mala?

— Não, senhor.

— Você sabe o que tem dentro dela?

— A Princesa disse que devia ser roupa.

— E onde estava a mala?

— A Princesa tinha guardado no prédio do lado de onde ela fica.

— E ela disse de quem era a mala?

— Disse que era de um homem que tinham matado ali na calçada e que os homens que tinham matado ele fugiram correndo depois de roubarem as coisas dele.

— E por que eles não levaram a mala?

— A Princesa disse que eles estavam bêbados, que mal conseguiram arrastar o corpo e depois a mala até a marquise.

— Eles estavam bêbados quando esfaquearam o homem?

— A Princesa dizia que eles viviam bêbados. Por isso é que eu ia sempre lá, para ver se eles não estavam incomodando ela.

— Meu irmão foi morto por dois bêbados — interrompeu Laura. — Dois bêbados miseráveis... observados por uma louca.

— Princesa não fez nada — disse Isaías.

— Princesa! Princesa! — gritou Laura. — Uma louca e um idiota! E esse idiota não foi capaz de ver que estava carregando a mala de um homem que tinha sido assassinado! — continuou, aos gritos. — E esse mesmo idiota matou a golpes de enxada o homem que foi na obra recuperar a mala! Além de idiota é também assassino!

— Ele queria me matar... — balbuciou Isaías.

— Se quisesse te matar ele não precisava da faca, seu imbecil. Assassino! Você é tão louco quanto essa falsa princesa maluca. Você não vale o dedo mindinho do homem que você matou a enxadada.

— Não chama a Princesa de maluca! — disse Isaías, voltando-se para ela.

Laura esticou o braço como se fosse alcançar um copo d'água sobre a mesa de Espinosa e, com uma rapidez surpreendente, pegou uma caneta esferográfica na mesa e cravou-a com violência no rosto de Isaías.

Welber, de um salto, segurou o braço de Laura Clemente, mas ela já tinha cravado a caneta numa das faces de Isaías, até o interior da boca.

Espinosa chamou a inspetora Marisa e mandou que ela mantivesse Laura no quarto da custódia. Enquanto isso, o inspetor Paulo levava Isaías ao hospital mais próximo.

Espinosa e Welber ficaram sozinhos no gabinete. O delegado olhava a tampa da caneta, que ficara sobre a mesa, e reproduzia mentalmente o gesto inesperado e violento de Laura.

Minutos depois a inspetora Marisa subiu ao gabinete.

— Delegado, ela não está nada bem, parece histérica, fica repetindo que não é uma criminosa, que o único criminoso está vivo e solto, que ela não é um animal para ficar numa jaula.

— Ela está se debatendo?

— Não, mas está muito agitada, não fica parada um segundo. Pede que chamem o companheiro dela, Severino, para tirá-la de lá.

— O Severino está morto e ela sabe disso... não sei desde quando.

— Ela não pode ficar num dos quartos que usamos para repouso? — perguntou a inspetora. — As janelas de lá têm grades e podemos trancar a porta. Pelo menos lá ela fica deitada. Podemos algemar um dos braços à cabeceira da cama.

— Não tem nada com que ela possa se machucar?

— Os únicos móveis são as duas camas beliche.

— Então ela pode ficar lá até se acalmar. Depois volta para a custódia. Cuidado, ela é rápida — avisou Espinosa.

Já era noite quando Isaías voltou do hospital. Espinosa e Welber tinham acabado de comer sanduíches trazidos do bar em frente e Laura Clemente recebera uma quentinha que compraram para ela.

Isaías estava com um curativo no rosto e falava com dificuldade. Tinha recebido alguns pontos na parte interna da boca e na face. Segundo o médico que o atendera na emergência, a caneta tinha traspassado a lateral da face, mas o ferimento não apresentava gravidade. A região estava anestesiada e o paciente devia evitar abaixar a cabeça, falar e comer alimentos sólidos. E não esquecer de tomar o antibiótico de acordo com a prescrição da receita.

Espinosa perguntou à inspetora se Laura havia se acalmado.

— Pelo menos parou de gritar e comeu um pouco da comida — disse.

— Então traga-a para cá e fique o tempo todo ao lado dela.

Isaías permaneceu sentado numa poltrona enquanto Laura e a inspetora Marisa retornaram e se sentaram no sofá.

O delegado dirigiu-se aos dois:

— A mala vai ser aberta e quero fazer isso na presença de vocês e dos inspetores aqui presentes.

— Pelo visto, a morte do meu irmão e a morte do Severino foram esquecidas — disse Laura com um tom de voz irritado.

— Não é verdade — disse Espinosa. — O homem que você diz ser seu irmão foi abordado e morto por dois sem-teto bêbados e esfaqueado por um deles. O sem-teto que o matou provavelmente foi o mesmo que depois foi morto a facadas no estacionamento e que trazia no bolso o celular do seu irmão. O outro sem-teto não vai demorar a ser pego; a própria bebida vai se encarregar de denunciá-lo.

O delegado fez uma pausa de alguns segundos.

— Quanto à morte de Severino, ela resultou da invasão do quarto onde mora o vigia Isaías, que, ameaçado de morte e agredido à faca por Severino, para defender a própria vida revidou com um golpe de enxada, causando a morte do invasor.

— Isso foi o que esse idiota inventou para você! — disse Laura.

— Não, isso foi o que ficou comprovado pelo exame de corpo de delito realizado no Instituto Médico Legal.

Espinosa fez outra pausa.

— Welber, pode abrir o cadeado.

O cadeado foi aberto num estalo e em segundos.

A mala foi deitada sobre duas cadeiras. Espinosa tirou da gaveta um par de luvas cirúrgicas, correu o zíper da mala e levantou a tampa. Na parte interna da tampa, havia uma etiqueta com o nome Artur Clemente e um endereço. Em cima de tudo, um terno dentro de uma capa protetora de náilon preto. Espinosa levantou o terno e o depositou na tampa aberta. Levantou as peças seguintes e retirou uma sacola contendo um par de sapatos. Tateando, retirou uma *nécessaire* e examinou seu conteúdo. Por fim, encontrou um notebook envolto em uma capa protetora e o entregou a Welber. O restante da mala continha apenas roupas, alguns blocos em branco e uma agenda, que também foi recolhida.

Laura, raivosa, acompanhava o trabalho do delegado Espinosa. Quando ele esvaziou completamente o conteúdo da mala, olhou para ela e disse:

— Você sabia que ele vinha ao Rio para finalizar uma transação. Talvez não soubesse exatamente quando, mas o que não podia adivinhar é que ele seria morto por dois bêbados logo ao chegar. A natureza e o montante da transação que ele vinha fazer, você e seu namorado Severino já conheciam; o que precisavam fazer agora era recuperar a mala e os dados contidos no computador para evitar que caíssem nas mãos da polícia... O que acaba de acontecer. Quanto aos detalhes da ação que resultou na morte de Artur Clemente, creio que vão ficar para sempre perdidos no mundo interior da Princesa.

E continuou:

— Você passará esta noite aqui na delegacia. Amanhã será indiciada por invasão de domicílio seguida de roubo e agressão com arma de uso restrito e proibido; agressão violenta a testemunha dentro do gabinete do delegado durante a entrevista preliminar, causando, em ambos os casos, a internação hospitalar dos feridos. Amanhã você terá a lista completa das acusações. Caso não tenha advogado, a defensoria pública lhe fornecerá um para acompanhar o indiciamento, o depoimento e o inquérito policial.

A segunda-feira amanheceu ensolarada e quente como no dia em que encontraram o corpo do Estrangeiro.

Antes de se dirigir à delegacia para dar início ao inquérito policial de Laura Clemente, Espinosa passou na avenida Copacabana para ver a Princesa e lhe dizer que Isaías se machucara novamente, mas que não era nada grave e que em breve ele iria vê-la. E também para dizer que sua amiga Maria, ou Laura, teria que se ausentar por algum tempo, mas que havia prometido avisá-la quando pudesse voltar a vê-la. E dizer ainda que seu amigo Severino fora obrigado a fazer uma longa viagem, da qual não voltaria.

1 EDIÇÃO [2012] 2 reimpressões

ESTA OBRA FOI COMPOSTA PELO GRUPO DE CRIAÇÃO EM GARAMOND E
IMPRESSA PELA GEOGRÁFICA EM OFSETE SOBRE PAPEL PAPERFECT
DA SUZANO PAPEL E CELULOSE PARA A EDITORA SCHWARCZ
EM DEZEMBRO DE 2012